UM BONDE
CHAMADO DESEJO

TENNESSEE WILLIAMS

UM BONDE CHAMADO DESEJO

Tradução de BEATRIZ VIÉGAS-FARIA

www.lpm.com.br

Coleção **L&PM** POCKET, vol. 726

Texto de acordo com a nova ortografia.

Primeira edição na Coleção **L&PM** POCKET: setembro de 2008
Esta reimpressão: março de 2025

Título original: *A Streetcar Named Desire*

Tradução: Beatriz Viégas-Faria
Capa: Marco Cena
Revisão: Bianca Pasqualini e Lia Cremonese

CIP-Brasil. Catalogação na Publicação
Sindicato Nacional dos Editores de Livros, RJ

W689b

Williams, Tennessee, 1911-1983
    Um bonde chamado Desejo / Tennessee Williams; tradução de Beatriz
Viégas-Faria. – Porto Alegre, RS: L&PM, 2025.
    160p. – (Coleção L&PM POCKET; v.726)

    Tradução de: *A Streetcar Named Desire*
    ISBN 978-85-254-1799-2

    1. Teatro americano (Literatura). I. Viégas-Faria, Beatriz. II. Título.
III. Série.

08-3484.   CDD: 812
                                CDU: 821.111(73)-2

© 1947, renewed 1975, The University of the South
© da tradução, L&PM Editores, 2008 (Para montagem profissional desta peça, falar
    com beatrizv@terra.com.br.)

Todos os direitos desta edição reservados a L&PM Editores
Rua Comendador Coruja, 314, loja 9 – Floresta – 90220-180
Porto Alegre – RS – Brasil / Fone: 51.3225.5777

Pedidos & Depto. comercial: vendas@lpm.com.br
Fale conosco: info@lpm.com.br
www.lpm.com.br

Impresso no Brasil
Verão de 2025

And so it was I entered the broken world
To trace the visionary company of love, its voice
An instant in the wind (I know not whither hurled)
But not for long to hold each desperate choice.

Estrofe do poema "The Broken Tower"
Hart Crane (1899-1932)

E assim aconteceu de eu entrar neste mundo estragado
Para encontrar a companhia quimérica do amor, sua voz
Por um instante no vento (e não sei para onde arremessada),
Mas para abraçar por pouco tempo cada escolha desesperada.

SUMÁRIO

Apresentação 9

Personagens 13
Cena 1 15
Cena 2 36
Cena 3 50
Cena 4 68
Cena 5 80
Cena 6 92
Cena 7 105
Cena 8 115
Cena 9 123
Cena 10 133
Cena 11 144

Sobre a tradutora 158

APRESENTAÇÃO

Beatriz Viégas-Faria

A crítica literária acadêmica coloca Tennessee Williams entre os grandes nomes da dramaturgia norte-americana do século XX, na companhia de Eugene O'Neill, Arthur Miller e Edward Albee.

Gore Vidal nos conta que Tennessee Williams (Thomas Lanier Williams, 1911-1983), nascido e criado no sul dos Estados Unidos, tinha em sua família de origem inspiração para a maioria das personagens sobre as quais ele escreveria durante toda a sua carreira de ficcionista: Rose, a irmã que foi submetida a uma lobotomia, e Edwina, a mãe, que concordou com os médicos que recomendaram a lobotomia da filha. O pai, Cornelius, extrovertido e alcoolista, sempre brigando com a esposa que, diante de toda e qualquer situação, jamais perdia a pose de uma lady; um pai sempre beligerante em relação ao filho homossexual; um pai que pode ter tentado abusar sexualmente da filha. O avô, Reverendo Dakin, que inexplicavelmente passou para estranhos todo o seu dinheiro (ao que parece, fora chantageado por causa de um encontro que teve com um rapaz). A avó, Rose como a neta, mulher generosa que tudo aceitava sem questionar.

Em *Um bonde chamado Desejo*, peça que estreou na Broadway em 1947 com direção de Elia Kazan, temos na personagem Blanche DuBois uma herdeira do refinamento e da fragilidade de uma aristocracia decadente do sul dos Estados Unidos, a representante de uma linhagem que vive das lembranças de sua velha tradição. Paralelamente a isso, Blanche vive também das lembranças do auge de sua juventude. O autor faz essa personagem bater de frente com o marido de sua única irmã.

Tennessee Williams teria dito ao amigo Gore Vidal que era incapaz de escrever uma história que não tivesse pelo menos uma personagem pela qual ele sentisse desejo físico. Em *Um bonde chamado Desejo*, temos no cunhado de Blanche, Stanley Kowalski, um trabalhador braçal que Blanche descreve como "um animal": age como um, tem os hábitos de um animal, come e se movimenta como um animal, fala como um animal. Enquanto Arthur Miller observa que a produção de Elia Kazan para o texto foi tão importante que se tornou sinônima da própria peça, com Marlon Brando interpretando Stanley, Vidal ressalta a importância de Brando/Kowalski como tendo personificado um objeto de desejo sexual que inaugurou na história dos Estados Unidos o reconhecimento de um fato: a luxúria feminina. Tennessee Williams teria tocado em um importante tabu da sociedade norte-americana daquela época: as mulheres sentem atração sexual pelos homens.

O mesmo Marlon Brando seria Stanley Kowalski novamente nas telas do cinema, na peça transformada em filme, lançado em 1951, com roteiro de Tennessee Williams e direção de Elia Kazan.

Vemos, contudo, em *Um bonde chamado Desejo*, que a simpatia do autor não está com o brutalmente belo Stanley, mas deposita-se em sua vítima, Blanche. Assim como foi imorredouro o amor de Tennessee Williams por sua irmã Rose, o escritor tem constante atenção para com a delicadeza, fragilidade e complexidade psicológica de suas criaturas – derrotadas pela mudança dos tempos, vencidas pelas circunstâncias. Arthur Miller ressalta que a peça é "um grito de dor".

Também é Miller quem observa que, com *Um bonde chamado Desejo*, inaugura-se na dramaturgia norte-americana um tipo de texto que coloca a linguagem a serviço das personagens e não (como até então era feito) a serviço da trama, do desenrolar da história. Diz Miller que as personagens de *Um bonde* mostram-se livres em suas falas a ponto de conseguirem expor verbalmente suas contrariedades.

Ao mesmo tempo em que as falas das personagens expressam o dito e comunicam o não dito, Tennessee Williams põe nos objetos de cena itens que funcionam como símbolos para o subtexto da peça. As coloridas lanternas de papel da tradição chinesa fazem um paralelo com a fragilidade de Blanche. O gesto de Stanley, em sua primeira aparição em cena, gritando pela mulher e depois jogando para ela um pedaço de carne, faz um paralelo com seu comportamento não civilizado de homem das cavernas ou "animal".

Outros símbolos e outros paralelismos da peça, e há muitos, ficam para o leitor descobrir – a começar pelo nome do bonde, "Desejo". Espera-se que o leitor desta tradução brasileira embarque na leitura do texto com a certeza de que encontrará no caminho muitas questões a desvendar: quem desconfia do que, quem suspeita de quem, quem acusa e quem é acusado, quem mente e quem simplesmente não admite a verdade, quem é traído e quem se deixa manipular, quem exerce qual poder sobre quem... e por aí vai. A trama que Tennessee Williams construiu nos anos 1940 é muito bem urdida, e chega como um presente da inventividade e do brilhantismo de que é capaz um escritor – para encantar gerações e gerações de leitores/espectadores em qualquer língua, em todas as culturas.

Agosto de 2008

Referências

Adler, Tom. Tennessee Williams (1911-1983). In: *The Literary Encyclopedia*. www.litencyc.com/php/printer_format_people.php?UID=4738

Manoussakis, Vassilis. *A Streetcar Named Desire*. In: *The Literary Encyclopedia*. http://www.litencyc.com/php/sworks.php?rec=true&UID=6955

Miller, Arthur. Introduction. In: WILLIAMS, Tennessee. *A Streetcar Named Desire*. New York: New Directions, 2004.

Vidal, Gore. Introduction. In: WILLIAMS, Tennessee. *Collected Stories*. New York: Ballantine, 1985.

PERSONAGENS

Blanche DuBois

Stella Kowalski – irmã de Blanche

Stanley Kowalski – marido de Stella

Eunice Hubbell – vizinha e amiga de Stella

Steve Hubbell – marido de Eunice

Mitch (Harold Mitchell) – amigo de Stanley

Pablo Gonzales – parceiro de pôquer de Stanley, Mitch e Steve

Mulher Negra – uma vizinha

Vendedor (de tamales)

Rapaz – um cobrador

Mexicana – uma vendedora de flores de lata

Médico

Enfermeira

CENA 1

O exterior de um prédio de dois andares, de esquina, em uma rua de New Orleans, chamada Elysian Fields (Campos Elísios), localizada entre o rio Mississippi e os trilhos dos trens interestaduais. O bairro é pobre, mas, ao contrário de bairros similares em outras cidades dos Estados Unidos, tem um certo charme mundano, prosaico. As casas em sua maioria são construções originalmente brancas que foram adquirindo um tom cinza com o tempo; têm escadas externas que balançam ao peso das pessoas; têm avarandados e frontões ornamentados de um modo único. Esse prédio tem dois apartamentos, o de cima e o de baixo. Degraus de um branco esmaecido levam às portas de entrada de um e de outro.

Está recém escurecendo; é um fim de tarde no começo de maio. O que se vê do céu ao redor do prédio branco e pouco iluminado é de um azul suave, muito suave, quase um azul-turquesa, o que empresta à cena uma espécie de lirismo e atenua com graciosidade a atmosfera de decadência. Pode-se quase sentir o bafo morno do rio de águas marrons que passa atrás dos armazéns das margens, estes com seus leves aromas de banana e de café. Essa mesma atmosfera é evocada pela música de artistas negros em um bar logo ali, virando a esquina. Nessa parte de New Orleans todos estão sempre logo ali, virando a esquina – ou então dali a umas poucas portas no que se desce a rua; são essas as distâncias que se tem de vencer para chegar a um piano de som metálico que está sendo tocado com a fluência apaixonada de dedos marrons. Esse "piano de blues" expressa o espírito da vida que acontece aqui.

Duas mulheres, uma branca e outra negra, estão tomando a fresca nos degraus do prédio. A mulher branca é Eunice, que mora no apartamento de cima; a mulher negra é uma vizinha, pois New Orleans é uma cidade cosmopolita, onde se tem uma mistura relativamente simpática e fácil de raças na parte antiga da cidade.

Acima da música do "piano de blues", ouvem-se vozes que se sobrepõem umas às outras, das pessoas na rua.

[*Dois homens chegam dobrando a esquina: Stanley Kowalski e Mitch. Têm uns vinte e oito ou trinta anos e vestem roupas de trabalho, grosseiras, feitas de brim de algodão, azul escuro. Stanley traz na mão o seu casaco de jogar boliche e, na outra, um pacote manchado de vermelho que ele vem trazendo de um açougue. Os dois param ao pé da escada.*]

STANLEY [*berrando*] – Ei, aí! Stella, benzinho!

[*Stella aparece no patamar do primeiro piso, uma mulher jovem e suave, de uns vinte e cinco anos, que foi criada pela família de modo obviamente bem distinto do de seu marido.*]

STELLA [*com brandura*] – Não berre comigo desse jeito. Oi, Mitch.

STANLEY – Pega!

STELLA – Que é isso?

STANLEY – Carne!

[*Joga o pacote para ela. Ela dá um grito, protestando, mas consegue pegar o pacote. Então ela ri, ofegante. O marido e o amigo já estão voltando para a esquina de onde surgiram.*]

Stella [*chamando pelo marido*] – Stanley! Onde é que você vai?

Stanley – Jogar boliche!

Stella – Posso ir junto para ver?

Stanley – Vem. [*Sai.*]

Stella – Daqui a pouco eu vou. [*Dirigindo-se à mulher branca:*] Oi, Eunice. Tudo bem?

Eunice – Tudo certo. Fale pro Steve que ele que arranje um sanduíche de baguete, porque aqui não sobrou nada.

[*Todas riem; a mulher negra não para de rir. Stella sai.*]

Mulher Negra – O que era aquele pacote que ele jogou pra ela? [*Levanta-se dos degraus, rindo ainda mais alto.*]

Eunice – Quietinha, agora.

Mulher Negra – Pegar "no quê"?

[*Ela continua rindo. Blanche chega dobrando a esquina, carregando uma valise. Olha para um pedaço de papel, depois para o prédio, depois de novo para o pedaço de papel e daí de novo para o prédio. A expressão de seu rosto é de incredulidade; ela está atônita. Sua aparência não combina em nada com o ambiente. Está vestida com elegância, num* tailleur *branco, blusa macia e fofa, colar e brincos de pérola, luvas brancas e chapéu, como quem está chegando para um chá da tarde em pleno verão, ou então para uma recepção com coquetéis no Garden District, bairro das mansões elegantes de New Orleans. É uns cinco anos mais velha que Stella. Sua beleza delicada precisa evitar a luz forte. Há algo na hesitação de seus gestos, assim como no branco de sua roupa e adereços, que sugere uma borboletinha.*]

Eunice [*finalmente*] – Qual é o problema, querida? Você está perdida?

Blanche [*com humor levemente histérico*] – Me disseram para tomar um bonde chamado Desejo e depois pegar outro, chamado Cemitérios, e então andar nesse segundo bonde por seis quarteirões e descer na parada... Campos Elísios!

Eunice – É onde você está agora.

Blanche – Nos Campos Elísios?

Eunice – Isto aqui é Campos Elísios.

Blanche – Acho que eles não... entenderam... que número eu queria...

Eunice – Que número que tá procurando?

[*Blanche, exausta e abatida, olha para o pedaço de papel.*]

Blanche – Seiscentos e trinta e dois.

Eunice – Pode parar de procurar.

Blanche [*incrédula*] – Estou tentando encontrar a minha irmã, Stella DuBois. Quer dizer... a sra. Stanley Kowalski.

Eunice – É aqui mesmo. Mas ela acabou de sair.

Blanche – Esta aqui... será possível que esta aqui... é a casa dela?

Eunice – Ela tem o apartamento aqui de baixo, e o meu é o de cima.

Blanche – Ah... E ela... saiu?

Eunice – Você reparou no lugar onde se joga boliche, virando ali a esquina?

Blanche – Eu... eu acho que não.

EUNICE – Bom, é lá que ela está. Foi ver o marido jogar boliche. [*Uma pausa.*] Você quer deixar a sua mala aqui e ir atrás dela?

BLANCHE – Não.

MULHER NEGRA – Eu vou avisar ela que você tá aqui.

BLANCHE – Obrigada.

MULHER NEGRA – Nada. [*Sai.*]

EUNICE – Ela não sabia que você vinha?

BLANCHE – Não. Não, não hoje de noite.

EUNICE – Bom, por que você não entra e não vai se instalando até que eles voltam?

BLANCHE – Como é que eu ia conseguir... fazer isso?

EUNICE – Nós aqui em cima somos os donos, então eu posso abrir a porta pra você entrar.

[*Levanta-se e abre a porta do apartamento de baixo. Uma luz se acende por trás da cortina, o que a torna azul-clara. Blanche entra, atrás de Eunice, na casa da irmã. As áreas ao redor vão escurecendo à medida que o interior vai se iluminando.*]

[*Podem-se ver dois aposentos, não muito definidos. Aquele em que se entra primeiro é basicamente uma cozinha, mas tem um sofá-cama onde Blanche irá dormir. O outro cômodo, depois deste, é um quarto. Ali há uma porta estreita que dá para um banheiro.*]

EUNICE [*na defensiva, notando a expressão de Blanche*] – Tá meio bagunçado agora, mas quando tá limpo e arrumado é bem bonitinho.

BLANCHE – É mesmo?

EUNICE – Arrã, pelo menos eu acho que é. Então você é a irmã da Stella?

Blanche – Sim. [*Querendo se livrar da presença de Eunice:*] Muito obrigada por abrir a porta para mim.

Eunice – *Por nada,* como dizem os mexicanos, *por nada!* Stella falou de você.

Blanche – Foi?

Eunice – Se não me engano, ela disse que você dá aula num colégio.

Blanche – Sim.

Eunice – E vocês são do Mississippi, hã?

Blanche – Sim.

Eunice – Ela me mostrou uma foto da casa da família de vocês, naquele fazendão enorme.

Blanche – Belle Reve?

Eunice – Uma casa enorme, de colunas brancas.

Blanche – Sim...

Eunice – Uma casa dessas deve de ser bem difícil fazer a limpeza.

Blanche – Se você pudesse me dar licença, estou caindo de cansaço.

Eunice – Claro, querida. Por que você não se assenta?

Blanche – O que eu quis dizer é que eu gostaria de ficar sozinha agora.

Eunice [*ofendida*] – Ah! Nesse caso, eu vou dando o fora daqui.

Blanche – Não foi minha intenção ser grosseira, mas é que...

Eunice – Eu vou dar um pulinho no boliche e vou apressar a Stella. [*Sai porta afora.*]

[*Blanche senta-se em uma cadeira, corpo rígido, ombros levemente arqueados, as pernas pressionadas com força uma contra a outra, e as mãos agarrando a bolsa com força, como se ela estivesse sentindo muito frio. Dali a pouco, o olhar perdido abandona sua expressão, e ela devagar começa a olhar à sua volta. Um gato solta um miado de dor. Ela prende a respiração com um gesto assustado. De repente, nota alguma coisa pela porta entreaberta de um* closet. *Levanta-se de um pulo e vai até lá e tira dali uma garrafa de uísque. Serve-se de meia dose de uísque e entorna a bebida. Com todo o cuidado, põe a garrafa de volta no lugar e lava o copo na pia. Então volta ao seu lugar na cadeira em frente à mesa.*]

BLANCHE [*numa voz fraca, dirigindo-se a si mesma*] – Preciso me controlar!

[*Stella chega apressada, dobrando a esquina do prédio, e corre até a porta do apartamento de baixo.*]

STELLA [*chamando em voz alta, com alegria*] – Blanche!

[*Por um momento, elas só se olham. Então Blanche levanta-se de um pulo e corre para Stella com uma gritaria desenfreada.*]

BLANCHE – Stella, ah, Stella, Stella! Stella como em Estrela!

[*Começa a falar com uma vivacidade febril, como se estivesse com medo de que uma delas pudesse parar para pensar. As duas se abraçam com gestos espasmódicos.*]

BLANCHE – Mas então! Agora me deixe olhar para você. Mas não, não é para você olhar para mim, Stella, não, não, não. Só depois, depois que eu tiver tomado banho e dormido um pouco! E apague essa luz de cima! Apague! Não quero que me vejam numa luz forte, ofuscante, cruel, implacável! [*Stella ri e obedece.*] Agora volte aqui! Ah, minha irmãzinha pequena! Stella! Stella como em Estrela! [*Abraça Stella mais uma vez.*] Nunca pensei que você fosse voltar para este lugar horroroso! O que estou dizendo? Não foi isso que eu quis dizer. Minha intenção era ser simpática sobre essa questão e dizer... "Ah, que localização tão conveniente", e coisas assim... Ha, ha, ha! Minha ovelhinha mimosa! Você ainda não disse nem uma *palavra*.

STELLA – Você não me deu chance, querida! [*Ri, mas o olhar com que encara Blanche é um pouco ansioso.*]

BLANCHE – Bem, agora é você quem fala. Abra a sua boquinha bonitinha e fale, enquanto eu vou tentar achar alguma bebida nesta casa! Eu sei que você deve ter alguma bebida por aqui! Onde poderia estar, pergunto eu. Ah, enxerguei, enxerguei!

[*Corre até o closet e tira dali a garrafa; está tremendo de cima a baixo e procura retomar o fôlego ao mesmo tempo em que tenta rir. A garrafa quase escorrega de suas mãos.*]

STELLA [*notando*] – Blanche, você vai se sentar, e pode deixar que eu sirvo os drinques. Não sei o que temos em casa para misturar na bebida. Talvez tenha uma coca na geladeira. Dê uma olhada, querida, enquanto eu...

BLANCHE – Nada de coca, querida, não do jeito que eu estou com os meus nervos hoje! Onde... onde... onde é que está...?

STELLA – O Stanley? Jogando boliche! Ele adora. Está acontecendo um... encontrei água mineral com gás!... campeonato...

BLANCHE – Água sem gás, coração, só para diluir um pouquinho! Agora, não vá se preocupar, você não tem uma irmã com problemas de bebida, ela só está muito agitada e com calor e cansada e precisando de um banho! Você vai se sentar, agora, e me explicar este apartamento. O que você está fazendo num lugar assim?

STELLA – Olhe aqui, Blanche...

BLANCHE – Ah, eu não vou ser hipócrita; vou fazer uma crítica honesta. Nunca, nunca, nunca, nem no pior dos meus sonhos, eu podia imaginar... Só mesmo Poe! Só o sr. Edgar Allan Poe poderia fazer justiça a este lugar na hora de descrevê-lo. E lá fora, suponho eu, está o bosque mal-assombrado de Weir, com seus comedores de defuntos: nem homem, nem mulher, nem humano, nem animal! [*Ri.*]

STELLA – Não, querida, lá fora tem os trilhos da ferrovia interestadual.

BLANCHE – Não, agora a sério, piadas à parte. Por que você não me contou? Por que não me escreveu, querida? Por que não quis que eu ficasse sabendo?

STELLA [*com muita cautela, servindo-se de um drinque*] – Ficasse sabendo o que, Blanche?

BLANCHE – Ora, que você precisava morar nestas condições!

STELLA – Será que você não está exagerando? Não é tão ruim assim, de modo algum! New Orleans não é como as outras cidades.

BLANCHE – Isso não tem nada a ver com New Orleans. Melhor seria você dizer... ah, me perdoe, coração, irmãzinha querida! [*De repente, interrompe-se.*] Assunto encerrado!

STELLA [*um tanto seca*] – Obrigada.

[*Durante a pausa, Blanche fixa o olhar em Stella. Stella sorri para Blanche.*]

BLANCHE [*olhando para o copo, que treme em sua mão*] – Você é tudo que tenho no mundo e não fica feliz de me ver!

STELLA [*com sinceridade*] – Ora, Blanche, você sabe que isso não é verdade.

BLANCHE – Não? ... Eu tinha esquecido como você é calada.

STELLA – Você nunca me dava chance de dizer muita coisa, Blanche. Então eu simplesmente peguei o hábito de ficar calada com você por perto.

BLANCHE [*de um modo vago*] – Um bom hábito, diga-se de passagem... [*Então, abruptamente:*] Você ainda não me perguntou como é que não estou dando aulas se ainda não terminou o semestre.

STELLA – Bom, eu pensei que você ia me contar quando quisesse... se quisesse.

BLANCHE – Você imaginou que tinham me demitido?

STELLA – Não, eu... pensei que talvez você tivesse... pedido demissão.

BLANCHE – Eu estava tão cansada com tudo o que passei que os meus... nervos não aguentaram. [*Amassando o cigarro com gestos nervosos:*] Fiquei à beira da... loucura, quase! Então o sr. Graves... o sr. Graves é o diretor da escola... ele sugeriu que eu tirasse uma licença-saúde. Eu não podia escrever esses detalhes todos no telegrama... [*Bebe rápido.*] Ahhh, isto aqui entra em mim e me atravessa, zunindo, de uma vez só, o corpo todo, e faz eu me sentir *tão bem!*

STELLA – Quer mais um?

BLANCHE – Não, um é o meu limite.

STELLA – Tem certeza?

BLANCHE – Você não disse uma palavra sobre a minha aparência.

STELLA – Você está ótima.

BLANCHE – Que Deus lhe guarde, por mentir assim! A luz do dia nunca mostrou maior ruína. Mas você... você engordou; sim, está redonda como uma perdiz! E combina com você!

STELLA – Olhe, Blanche...

BLANCHE – Combina, sim, combina. Do contrário, eu não diria uma coisa dessas! Você só vai ter de se cuidar um pouco na área dos quadris. Fique de pé.

STELLA – Agora não.

BLANCHE – Está me ouvindo? Eu disse para ficar de pé! [*Stella obedece, contrariada.*] É uma criança desajeitada! Você derramou alguma coisa nessa gola bonita de renda branca. Quanto ao seu cabelo... você precisa usar um corte diferente, acho que um chanel, para ressaltar os traços finos do rosto. Stella, você tem uma empregada, não é?

STELLA – Não. Aqui nós temos só dois cômodos, e fica...

BLANCHE – O quê? *Dois* cômodos, foi o que você disse?

STELLA – Este aqui e... [*Fica constrangida.*]

BLANCHE – O outro? [*Ri um riso cortante. Faz-se um silêncio constrangido.*] Vou tomar só mais um golinho, como se fosse a saideira, digamos assim... Depois, guarde a garrafa para que eu não fique tentada. [*Levanta-se.*] Quero que você olhe bem para o *meu* corpo! [*Dá uma* *volta.*] Sabe que eu não engordei uma única grama em dez anos, Stella? Meu peso é exatamente o mesmo que eu tinha naquele verão que você foi embora de Belle Reve. O verão que Papai morreu e você nos abandonou...

STELLA [*um tanto desgastada*] – É impressionante, Blanche, como você está bem.

BLANCHE [*as duas riem desajeitadamente*] – Mas, Stella, se só tem dois cômodos eu não entendo onde vocês vão me acomodar!

STELLA – Nós vamos pôr você aqui, neste aqui.

BLANCHE – Que tipo de cama é esta... daquelas que se dobram num sofá? [*Senta no sofá-cama.*]

STELLA – É macio o suficiente?

BLANCHE [*em dúvida*] – Maravilha, querida. Não gosto de camas macias demais. Mas não tem porta entre os dois cômodos, e Stanley... esse arranjo não vai ficar indecente?

STELLA – O Stanley, você sabe, é polonês.

BLANCHE – Ah, está certo. Eles são assim que nem os irlandeses, não é?

STELLA – Bem...

BLANCHE – Só que são menos... intelectualizados? [*As duas riem de novo, como antes.*] Eu trouxe umas roupas bem bonitas, para conhecer todos os seus queridos amigos.

STELLA – Receio que você não vá achá-los nem um pouco queridos.

BLANCHE – E como é que eles são?

STELLA – Eles são amigos do Stanley.

BLANCHE – Polacos?

Stella – São um grupo misturado, Blanche.

Blanche – Tipos... heterogêneos?

Stella – Isso. Isso mesmo, está certo, são tipos.

Blanche – Bom... de todo modo... eu trouxe umas roupas bem bonitas e vou usá-las. Imagino que você esteja torcendo para que eu diga que vou ficar num hotel, mas eu não vou ficar num hotel. Quero ficar *perto* de você, preciso ficar *com* alguém, *não posso* ficar *sozinha*! Porque... como você deve ter notado... eu... *não* estou *bem*... [*A voz vai se apagando, e ela parece assustada.*]

Stella – Você parece que está um pouco nervosa ou esgotada ou algo assim.

Blanche – Será que o Stanley vai gostar de mim, ou vou ser apenas uma visita que é parente da mulher dele, Stella? Isso eu não ia aguentar.

Stella – Vocês vão se dar muito bem, se você pelo menos não tentar... bem... compará-lo com os homens com quem nós saíamos quando morávamos com o Papai e Mamãe.

Blanche – Ele é tão... diferente?

Stella – Sim. É animal de uma outra espécie.

Blanche – Em que sentido? Como ele é?

Stella – Ah, Blanche, não se consegue descrever a pessoa por quem a gente está apaixonada! Aqui tem uma foto dele! [*Alcança uma fotografia para Blanche.*]

Blanche – Um oficial do exército?

Stella – Sargento-mestre do Corpo de Artilheiros. Aquelas ali são as condecorações dele!

Blanche – Ele estava usando essas condecorações todas quando você o conheceu?

Stella – Garanto que não me apaixonei só porque fiquei cega com tanto bronze.

Blanche – Não foi isso que eu...

Stella – Mas é claro que teve coisas com as quais eu precisei me adaptar mais tarde.

Blanche – Como, por exemplo, como ele foi criado na vida civil! [*Stella ri sem muita convicção.*] Como foi que ele encarou a notícia de que eu estava a caminho?

Stella – Ah, o Stanley ainda não sabe.

Blanche [*assustada*] – Você... não contou para ele?

Stella – Ele viaja muito.

Blanche – Ah. Viaja?

Stella – Sim.

Blanche – Que bom. Quer dizer... é bom, não é?

Stella [*meio que para si mesma*] – Eu mal aguento quando ele passa uma noite fora de casa...

Blanche – Ora, Stella!

Stella – Quando ele fica fora uma semana eu fico quase louca!

Blanche – Minha nossa!

Stella – E quando ele volta eu choro no colo dele como um bebê... [*Sorri para si mesma.*]

Blanche – Acho que isso é o que significa estar apaixonada... [*Stella levanta o rosto, um sorriso radiante nos lábios.*] Stella....

Stella – O quê?

Blanche [*numa fala corrida e atrapalhada*] – Eu não perguntei a você as coisas que você provavelmente pensou que eu ia perguntar. Então eu espero que você seja compreensiva com o que *eu* tenho de contar a *você*.

Stella – O que é, Blanche? [*Seu rosto mostra ansiedade.*]

Blanche – Bem, Stella... você vai me censurar, eu sei que você vai querer me xingar... mas antes disso... leve em consideração... você foi embora! Eu fiquei e lutei! Você veio para New Orleans e tratou da sua vida e cuidou de si! Eu fiquei em *Belle Reve* e tentei preservar tudo! Não estou falando isso em tom de censura, mas *toda* a trabalheira ficou sobre os *meus* ombros.

Stella – O melhor que eu podia fazer era ganhar o meu sustento, Blanche.

[*Blanche começa a tremer de novo, intensamente.*]

Blanche – Eu sei, eu sei. Mas foi você quem abandonou Belle Reve, não eu! Eu fiquei e lutei por ela, sangrei por ela, quase morri por ela!

Stella – Pare com esse acesso de histeria e me conte o que aconteceu. O que você quer dizer com lutou e sangrou? Que tipo de...

Blanche – Eu sabia que você ia fazer isso, Stella. Eu sabia que você ia assumir essa atitude em relação à coisa toda.

Stella – Em relação a... o quê? ...Por favor!

Blanche [*bem devagar*] – Nós perdemos... perdemos...

Stella – Belle Reve? Nós perdemos Belle Reve, é isso? Não!

Blanche – Sim, Stella.

[*Elas se olham por cima da toalha de mesa, um linóleo xadrez em branco e amarelo. Blanche lentamente faz que sim com a cabeça, e Stella lentamente olha para as próprias mãos, cruzadas sobre a mesa. A música do "piano de* blues*" cresce em volume. Blanche leva seu lenço à testa.*]

STELLA – Mas como foi isso? O que aconteceu?

BLANCHE [*levantando-se de repente*] – Até parece que você está em posição de me perguntar como foi isso!

STELLA – Blanche!

BLANCHE – Até parece que você está em posição de ficar sentada aí *me acusando* de tudo!

STELLA – *Blanche!*

BLANCHE – Eu, eu, *eu* levei os golpes na minha cara e no meu corpo! Todas aquelas mortes! O desfile que não tem mais fim até o cemitério! O pai, a mãe! Margaret, daquela maneira horrível! Tão inchada com aquilo que não cabia no caixão! E teve de ser queimada como lixo! Você só ia para casa a tempo de acompanhar os enterros, Stella. E os enterros são bonitos, em comparação com a morte. Os enterros são silenciosos, mas as mortes... nem sempre. Às vezes a repiração deles é rouca, e às vezes é agitada, estrépita, como um chocalho de serpente, e às vezes eles até mesmo pedem para você, gritando: "Não me deixe morrer!" Até mesmo os velhos, às vezes, dizem: "Não me deixe morrer". Como se você fosse capaz de impedir que se fossem! Mas os enterros são silenciosos, com flores bonitas. E também, ah, os esquifes maravilhosos onde eles são acomodados! A menos que você estivesse ao lado da cama onde eles gritavam: "Me abrace!", você jamais suspeitaria que houve uma batalha por respirar e que houve sangramento. Você nem sonhava, mas eu vi! Eu *vi*! Eu *vi*! E agora você fica aí sentada me dizendo com esses seus olhos que eu perdi Belle Reve! Que inferno! Como é que você pensa que se pagou tanta doença e tanta morte? Morrer custa caro, dona Stella! E o enterro da velha prima Jessie foi logo depois do da Margaret, do enterro dela! Ora, o Esqueleto Sinistro de Foice na Mão tinha acampado na nossa porta! ...Stella. Belle Reve era o quartel-general dele! Querida... foi assim que ela escapou das minhas mãos! Qual deles nos deixou uma fortuna? Qual deles nos deixou um centavo que fosse de seguro de vida? Só a pobre Jessie... cem dólares para cobrir os gastos com o ataúde. Isso foi tudo, Stella! E eu, com o meu salário mirrado de professora. Sim, pode me acusar! Fique aí sentada e olhe para mim, pensando que eu perdi Belle Reve! *Eu* perdi Belle Reve? Onde é que *você* estava? Na cama, com o seu... polaco!

STELLA [*levantando-se de repente*] – Blanche! Pare, quieta! Agora chega! [*Vai saindo.*]

BLANCHE – Onde é que você vai?

STELLA – Vou no banheiro, passar uma água no rosto.

BLANCHE – Ah, Stella, Stella, você está chorando!

STELLA – E você está surpresa?

BLANCHE – Me perdoe... eu não tive a intenção...

[*Ouve-se o som de vozes masculinas. Stella vai para o banheiro, fechando a porta atrás de si. Quando os homens aparecem, e Blanche se dá conta de que deve ser Stanley voltando, ela vai com passos incertos desde a porta do banheiro até a penteadeira, olhando apreensiva a porta da frente. Stanley entra, seguido de Steve e Mitch. Stanley para por um momento perto da porta de entrada de sua casa, Steve ao pé da escada externa em espiral, e Mitch está ligeiramente atrás e à direita deles, pronto para sair. Quando os homens iam entrando, escutamos partes do seguinte diálogo:*]

STANLEY – Foi assim que ele conseguiu?

STEVE – Claro que foi assim que ele conseguiu. O sujeito tirou a sorte grande com trezentos dólares num bilhete de seis números.

MITCH – Não diga essas coisas para ele, que ele vai acreditar. [*Mitch vai saindo.*]

STANLEY [*detendo Mitch*] – Ei, Mitch. Volte aqui.

[*Blanche, ao som das vozes, retira-se para o quarto de dormir. Pega a foto de Stanley da penteadeira, dá uma olhada, põe de volta. Quando Stanley entra no apartamento, ela corre e se esconde atrás do mosquiteiro que fica na cabeceira da cama.*]

STEVE [*dirigindo-se a Stanley e Mitch*] – Ei, a gente vai jogar pôquer amanhã?

STANLEY – Claro. Na casa do Mitch.

MITCH [*ao ouvir isso, volta rápido ao corrimão da escada*] – Não... na minha casa não. A minha mãe ainda está doente!

STANLEY – Ok, na minha casa então... [*Mitch vai saindo mais uma vez.*] Mas você traz a cerveja!

[*Mitch finge que não ouviu, fala bem alto "Boa noite a todos" e sai, cantarolando.*]

EUNICE [*sua voz vem do apartamento de cima*] – Vocês aí embaixo, encerrem a conversa! Eu fiz a minha receita de espaguete e comi tudo sozinha.

STEVE [*subindo*] – Eu te disse e te telefonei que a gente tava jogando. [*Dirigindo-se aos homens:*] Cerveja Jax!

EUNICE – Você não me ligou nem uma vez.

Steve – Eu te falei no café da manhã... e te telefonei no almoço...

Eunice – Bom, não interessa. Dê um jeito de estar em casa de vez em quando.

Steve – Tu quer essa história nos jornais?

[*Mais risadas e gritos de despedida por parte dos homens. Stanley abre a porta completamente, com toda a força e num único gesto, e entra em casa. De estatura mediana, mais ou menos 1,75 m, é um homem atarracado e forte. Uma alegria animal de seu ser está implícita em todos os seus movimentos e atitudes. Desde o começo de sua juventude, o centro de sua vida tem sido o prazer com as mulheres, o toma lá dá cá desses encontros, não com fraca tolerância nem de modo dependente, mas com o poder e o orgulho de um galo, o macho de rica plumagem no comando do galinheiro. Ramificando-se a partir deste centro completo e gratificante, encontram-se todos os canais auxiliares de sua vida, como seu entusiasmo cheio de espontaneidade com os homens, seu gosto por piadas pesadas, seu amor à boa bebida e à boa comida e aos esportes, seu carro, seu rádio, tudo que é seu, que traz estampada a insígnia do espalhafatoso portador de suas sementes. Avalia as mulheres à primeira vista, classificando-as em categorias sexuais, com imagens toscas e grosseiras povoando-lhe a mente e determinando o modo como ele vai sorrir para cada uma.*]

Blanche [*involuntariamente recuando diante do olhar de Stanley*] – Você deve ser Stanley. Sou a Blanche.

Stanley – Irmã da Stella?

Blanche – Sim.

Stanley – Oi. Onde está a minha mulherzinha?

Blanche – No banheiro.

Stanley – Ah. Eu não estava sabendo disso, que você vinha pra cidade.

Blanche – Eu... hmm...

Stanley – De onde você é, Blanche?

Blanche – Ora, eu... moro em Laurel.

[*Ele foi até o* closet *e pegou a garrafa de uísque.*]

Stanley – Em Laurel, hã? Ah, sim. Sim, em Laurel, está certo. Não é meu território. A bebida desaparece rápido nesse tempo quente. [*Ele segura a garrafa contra a luz para observar o quanto já foi consumido.*] Vai um gole aí?

Blanche – Não, eu... é muito raro eu tocar em bebida.

Stanley – Com certa gente é assim: muito raro tocar em bebida, mas é bem comum a bebida deixar eles bem tocados.

Blanche [*num fio de voz*] – Arrã.

Stanley – Estou com as roupas grudando. Você se incomoda se eu ficar mais à vontade? [*Começa a tirar a camisa.*]

Blanche – Por favor.

Stanley – Ficar à vontade é o meu lema.

Blanche – E o meu também. É difícil ficar com uma aparência de quem está limpo e refrescado. Eu nem tomei banho ainda e nem retoquei a maquiagem e... você está aqui!

Stanley – Todo mundo sabe que você pode pegar um resfriado se for ficar parado com a roupa molhada de suor no corpo. Ainda mais depois que você faz um exercício puxado como o boliche. Você é professora, não é?

Blanche – Sim.

Stanley – E você dá aula de que, Blanche?

Blanche – Inglês e literatura.

Stanley – Nunca fui muito bom aluno de inglês, nem de literatura. Quanto tempo vai ficar, Blanche?

Blanche – Eu... ainda não sei.

Stanley – Você vai se aboletar aqui com a gente?

Blanche – Foi o que pensei, se não for inconveniente para vocês.

Stanley – Ótimo.

Blanche – Viajar sempre me deixa muito cansada.

Stanley – Bom, cuide-se.

[*Um gato solta um miado como um guincho perto da janela. Blanche levanta num pulo.*]

Blanche – O que foi isso?

Stanley – Gatos... Êi, Stella!

Stella [*num fiapo de voz, ainda no banheiro*] – O que é, Stanley?

Stanley – Não se afogou no vaso, não é? [*Dá um sorriso para Blanche. Ela tenta e não consegue sorrir em resposta. Faz-se um silêncio.*] Acho que você vai ver que sou um tipo de cara sem nenhum refinamento. Stella já me falou um monte de você. Você já foi casada, não é?

[*O som de uma polca faz-se ouvir cada vez mais, ao longe, baixinho.*]

Blanche – Sim. Quando eu era bem novinha.

Stanley – O que aconteceu?

Blanche – O rapaz... o rapaz morreu. [*Ela afunda na cadeira de novo.*] Estou enjoada, acho que... vou vomitar! [*Deixa cair a cabeça nos braços.*]

CENA 2

São seis horas da tarde, no dia seguinte. Blanche está tomando um banho de banheira. Stella está terminando de se arrumar. O vestido de Blanche, estampa floral, está estendido em cima da cama de Stella.

Stanley entra na cozinha, vindo da rua, deixando a porta aberta para o perpétuo "piano de blues" que toca logo ali, virando a esquina.

STANLEY – Que palhaçada é essa?

STELLA – Ah, Stan! [*Levanta-se de um pulo e beija Stanley, que aceita os beijos com a compostura de um lorde.*] Vou levar a Blanche até o Galatoire para jantar e depois vamos a um show, porque hoje é a sua noite do pôquer.

STANLEY – E quanto à minha janta, hã? Eu não estou indo jantar em nenhum Galatoire!

STELLA – Deixei um prato frio prontinho para você na geladeira.

STANLEY – Ora, mas não é mesmo maravilhoso?

STELLA – Vou tentar manter a Blanche fora de casa até que termine a sua partida, porque eu não sei se ela ia entender. Então a gente vai até um daqueles lugarzinhos do French Quarter depois, e acho bom você me dar algum dinheiro.

STANLEY – Onde ela está?

STELLA – Na banheira, relaxando num banho quente para acalmar os nervos. Ela está bem aborrecida. Mais, até: amolada.

STANLEY – Com o quê?

STELLA – Ela passou por um mau pedaço.

STANLEY – É mesmo?

STELLA – Stan, nós... perdemos Belle Reve!

STANLEY – A fazenda no interior?

STELLA – Sim.

STANLEY – Como?

STELLA [*de modo vago*] – Ah, teve de ser... sacrificada ou coisa parecida. [*Há uma pausa, enquanto Stanley pensa sobre aquilo. Stella está colocando o vestido para sair.*] Quando ela sair do banho, por favor diga alguma coisa simpática sobre a aparência dela. E, ah! não diga nada sobre o bebê. Eu ainda não contei, estou esperando que ela se acalme.

STANLEY [*de modo agourento*] – E daí?

STELLA – E tente entender a Blanche, e seja gentil com ela, Stanley.

BLANCHE [*cantando no banheiro*] –

"Desde a terra de águas azuis cor do céu,
Nos trouxeram uma escrava cativa e donzela!"

STELLA – Ela não esperava nos encontrar num lugar tão pequeno. Acontece que eu tentei enfeitar um pouco as coisas nas minhas cartas.

STANLEY – E daí?

STELLA – E elogie o vestido dela e diga que ela está linda. Isso é importante para a Blanche. É o ponto fraco dela!

STANLEY – Certo, já peguei a ideia da coisa. Agora, vamos voltar um pouco para o pedaço que você estava me contando que a fazenda no interior não está mais na família.

Stella – Ah! Sim...

Stanley – E como foi isso? Vamos ter que conseguir mais detalhes sobre essa questão.

Stella – É melhor não falar muito sobre esse assunto até que ela tenha se acalmado.

Stanley – Então esse é o combinado, hã? Maninha Blanche não pode se incomodar com os detalhes do negócio agora já!

Stella – Você viu como ela ficou ontem de noite.

Stanley – Arrã, eu vi como ela ficou. Agora, vamos dar uma espiada na escritura dessa venda.

Stella – Não vi nenhuma escritura.

Stanley – Ela não te mostrou nenhum papel, nenhum documento de venda, nada desse tipo de coisa, hã?

Stella – Parece que a fazenda não foi vendida.

Stanley – Bom, mas então que merda que aconteceu? Foi dada de presente? Doada pra caridade?

Stella – Shhh! Assim ela vai ouvir.

Stanley – Tô me lixando se ela vai ouvir ou não. Vamos ver os papéis!

Stella – Não teve papéis, ela não me mostrou nenhum papel, tô me lixando pros papéis.

Stanley – Você já ouviu falar do Código Napoleônico?

Stella – Não, Stanley, nunca ouvi falar do Código Napoleônico. E, mesmo que tivesse, não entendo o que...

Stanley – Deixe eu te esclarecer uma ou duas coisinhas, amorzinho.

Stella – Sim?

Stanley – No estado da Louisiana nós temos o Código Napoleônico, e, de acordo com ele, o que é da mulher também é do marido e vice-versa. Por exemplo, se eu tivesse um propriedade, ou se você tivesse uma propriedade...

Stella – Minha cabeça está tonta!

Stanley – Tudo bem. Eu vou esperar até que ela termine de relaxar num banho quente de banheira e daí eu vou perguntar se *ela* está familiarizada com o Código Napoleônico. O que está me parecendo é que você foi passada pra trás, amorzinho. E, quando você é passada pra trás sob o Código Napoleônico, eu *também* sou passado pra trás. E eu não gosto de ser *passado pra trás.*

Stella – Tem tempo de sobra para fazer perguntas a ela mais tarde. Se você fizer isso agora, ela vai ficar um caco de novo. Eu não entendo o que aconteceu com Belle Reve, mas você não tem ideia de como está sendo ridículo de sugerir que a minha irmã ou eu ou qualquer pessoa da nossa família pudesse ter planejado um golpe contra outra pessoa, fosse quem fosse.

Stanley – Mas então onde está o dinheiro se o lugar foi vendido?

Stella – Não foi vendido... *perdido, perdido!* [*Ele entra no quarto a passos largos, e ela vai atrás.*] Stanley!

[*Ele abre a mala-armário que está no meio do quarto e arranca para fora uma braçada de vestidos.*]

Stanley – Abra os seus olhos para essa porcaria toda! Você acha que ela conseguiu isso com um salário de professora?

Stella – Fale baixo!

STANLEY – Olhe só essas plumas e peles que ela trouxe pra vir desfilar aqui! O que é isto aqui? Um vestido de puro ouro, é o que eu acho! E este aqui! O que é isto aqui? Pele de raposa! [*Sopra as peles.*] Legítima pele de raposa, um quilômetro de comprimento! Onde está a sua pele de raposa, Stella? Peles fartas, brancas como a neve, nada menos que isso! Onde estão as suas peles brancas de raposa?

STELLA – São todas peles baratas, de fantasia, que a Blanche tem há anos e anos.

STANLEY – Eu tenho um conhecido que negocia com esse tipo de mercadoria. Vou trazer ele aqui pra avaliar isso. Eu tô disposto a apostar com você que tem milhares de dólares investidos nessa coisarada aqui!

STELLA – Não seja tão idiota, Stanley!

[*Ele carrega as peles até o sofá-cama. Depois, abre bruscamente a gavetinha da mala-armário e puxa para fora um punhado de peças de bijuteria.*]

STANLEY – E o que temos aqui? A arca do tesouro de um pirata!

STELLA – Ah, Stanley!

STANLEY – Pérolas! Colares e mais colares de pérolas! O que é essa sua irmã? Um mergulhador de grandes profundidades? Pulseiras de ouro puro, também! Onde é que estão as suas pérolas e as suas pulseiras de ouro?

STELLA – Shhh! Fique quieto, Stanley.

STANLEY – E diamantes! Uma coroa de imperatriz!

STELLA – Uma tiara de *strass* que ela usou num baile a fantasia.

STANLEY – O que é *strass*?

Stella – Um primo-irmão do vidro.

Stanley – Tá brincando? Eu tenho um conhecido que trabalha numa joalheria. Vou trazer ele aqui pra avaliar isso. Aqui está a sua fazenda, Stella, ou o que sobrou dela; aqui!

Stella – Você não faz ideia de como está sendo estúpido, e um monstro! Agora feche essa mala antes que a Blanche saia do banheiro!

[*Ele fecha parcialmente a mala-armário com um chute e vai se sentar à mesa da cozinha.*]

Stanley – Os Kowalski e os DuBois têm ideias muito diferentes.

Stella [*com raiva*] – E têm mesmo, graças a Deus! ...*Eu* estou saindo. [*Ela pega com raiva seu chapéu branco e as luvas brancas e atravessa a cozinha até a porta da frente.*] E você vem comigo enquanto esperamos Blanche se vestir.

Stanley – Desde quando você me dá ordens?

Stella – Você vai ficar aqui e ofender a minha irmã?

Stanley – Você pode apostar o que quiser que eu vou ficar aqui, sim senhora.

[*Stella sai para o patamar dos degraus da frente do apartamento. Blanche sai do banheiro num roupão vermelho de cetim.*]

Blanche [*desavisada*] – Oi, Stanley! Aqui estou eu, fresquinha do banho e perfumada, e me sentindo gente de novo!

[*Ele acende um cigarro.*]

Stanley – Que bom.

Blanche [*fechando as cortinas da janela*] – Me dê licença enquanto eu ponho o meu lindo vestido novo!

Stanley – Vá em frente, Blanche.

[*Ela fecha os reposteiros que separam os dois cômodos.*]

Blanche – Estou sabendo que vai ter um carteado e que as damas estão cordialmente *não* convidadas!

Stanley [*de modo agourento*] – É mesmo?

[*Blanche tira o roupão e põe um vestido de estampa floral.*]

Blanche – Onde é que foi a Stella?

Stanley – Ali fora, no patamar da porta da rua.

Blanche – Vou pedir que você me faça um favor daqui a pouquinho.

Stanley – Nem imagino o que pode ser.

Blanche – Fechar uns botões nas costas do vestido. Você pode entrar. [*Ele passa pelos reposteiros com o olhar inflamado.*] Como é que estou?

Stanley – Tá bem.

Blanche – Muito obrigada. Agora os botões.

Stanley – Não consigo fazer nada com eles.

Blanche – Vocês homens, com os seus dedos grandes e desajeitados. Posso dar uma tragada no seu cigarro?

Stanley – Pegue um pra você.

Blanche – Ora, muito obrigada! ...Parece que a minha mala explodiu.

Stanley – Foi eu e a Stella ajudando a desfazer a mala.

Blanche – Bom, vocês com certeza fizeram um serviço rápido e completo!

Stanley – Parece que você assaltou umas lojas chiques de Paris.

Blanche – Ha, ha! Pois é... roupas são a minha paixão.

Stanley – Quanto custa uma enfiada de retalhos de pele como essa aí?

Blanche – Ora, isso foi um tributo de um admirador meu!

Stanley – Ele deve ter tido um monte de... admiração!

Blanche – Ah, na minha juventude eu chamava atenção, e tive muitos admiradores. Mas olhe para mim agora! [*Sorri para ele, radiante.*] Você consegue imaginar que já houve um dia em que eu fui considerada... atraente?

Stanley – Você me parece ok.

Blanche – Eu estava jogando verde para colher maduro, Stanley, para que você me fizesse um elogio.

Stanley – Eu não entro nesse tipo de coisa.

Blanche – Que... coisa?

Stanley – Elogiar mulheres pela aparência delas. Nunca conheci uma mulher que não soubesse se era bonita ou não, a menos que lhe dissessem, e algumas acham que são mais bonitas do que são na verdade. Uma vez saí com uma lindinha que me disse: "Eu sou do tipo charmosa, eu sou do tipo charmosa!" Eu disse: "Grande coisa!"

Blanche – E o que ela disse então?

Stanley – Não disse nada. Aquilo fez ela calar a boca. Se fechou como uma ostra.

Blanche – E foi o fim do namoro?

Stanley – Foi o fim da conversa, e isso é tudo. Tem homem que se deixa levar por essa coisa de charme de Hollywood, e tem homem que não.

Blanche – Tenho certeza que você pertence à segunda categoria.

Stanley – Isso mesmo.

Blanche – Não consigo imaginar nenhuma mulher, por mais feiticeira, que consiga enfeitiçar você.

Stanley – Isso... mesmo.

Blanche – Você é simples, direto e honesto, um tanto quanto primitivo, eu diria. Para suscitar o seu interesse, uma mulher teria de... [*Ela faz uma pausa acompanhada de um gesto indefinido.*]

Stanley [*lentamente*] – Deitar... as cartas na mesa.

Blanche [*sorrindo*] – Bom, eu nunca dei importância para gente aguada. Foi por isso que, quando entrei aqui ontem de noite, disse para mim mesma: "Minha irmã casou com um homem!" ...Claro que isso foi tudo que eu podia dizer de você.

Stanley [*a voz ressoando*] – Agora vamos acabar com essa besteirada!

Blanche [*tapando os ouvidos com as mãos, com força*] – Uuuuuu!

Stella [*chamando da escada*] – Stanley! Saia daí e deixe a Blanche terminar de se arrumar!

Blanche – Eu já estou pronta, querida.

Stella – Bom, então saia você daí.

Stanley – A sua irmã e eu estamos tendo uma conversinha.

Blanche [*de modo alegre*] – Querida, me faça um favor. Dê um pulinho até a lanchonete e me traga uma coca limão com bastante gelo! Você faz isso por mim, meu amor?

STELLA [*vacilante*] – Sim. [*Ela sai, dobrando a esquina do prédio.*]

BLANCHE – A pobrezinha estava lá fora escutando a nossa conversa, e a ideia que faço é que ela não entende você tanto quanto eu... Muito bem. Agora, sr. Kowalski, vamos prosseguir sem ambiguidades. Estou pronta a responder todas as perguntas. Não tenho nada a esconder. O que é?

STANLEY – No estado da Louisiana tem uma coisa que se chama de Código Napoleônico, de acordo com o qual tudo que é da minha mulher é meu também... e vice-versa.

BLANCHE – Nossa, mas você tem uma pose jurídica impressionante!

[*Ela usa o borrifador de perfume. Depois, de brincadeira, borrifa perfume nele também. Ele pega o borrifador e coloca-o com força na penteadeira. Ela joga a cabeça para trás e ri.*]

STANLEY – Se eu não soubesse que você é irmã da minha mulher, eu ia estar pensando coisas de você.

BLANCHE – Como o que, por exemplo?

STANLEY – Não se faça de boba. Você sabe o quê!

BLANCHE [*traz o borrifador para a mesa da cozinha*] – Pois muito bem. Cartas na mesa. Isso combina comigo. [*Encara Stanley.*] Eu sei que conto umas mentirinhas aqui e ali de vez em quando. Afinal, os encantos de uma mulher são cinquenta por cento ilusão, mas, quando alguma coisa é importante, eu falo a verdade, e a verdade é esta: eu não dei um golpe na minha irmã nem em você nem em ninguém, nunca, em toda a minha vida.

STANLEY – Onde estão os papéis? Na mala?

BLANCHE – Tudo que tenho neste mundo está naquela mala. [*Stanley vai até o quarto, até a mala, abre-a de qualquer jeito e começa a abrir cada compartimento, um por um.*] O que, em nome de Deus, você está pensando? O que está se passando por essa sua cabeça de criança? Que eu estou ocultando alguma coisa, atentando com algum tipo de traição contra a minha irmã?... Deixe que eu mesma faço isso! Vai ser mais rápido e mais simples... [*Ela vai até a mala e tira dali uma caixa.*] Eu guardo a maioria dos meus papéis nesta lata. [*Abre a lata.*]

STANLEY – O que são esses aí, os bem de baixo? [*Aponta para uma outra camada de papéis.*]

BLANCHE – Estes aqui são cartas de amor, amareladas de tão velhas, todas do mesmo rapaz. [*Ele as arranca da lata. Ela fala com ferocidade:*] Me devolva isso aí.

STANLEY – Primeiro vou dar uma olhada nelas.

BLANCHE – Ter as suas mãos tocando essas cartas é um insulto a elas.

STANLEY – Nem vem com esse tipo de coisa pra cima de mim.

[*Ele arranca a fita e começa a examinar as cartas. Blanche arranca-as das mãos dele, e as cartas caem no chão – uma cascata de cartas.*]

BLANCHE – Agora que vocês tocou as cartas, vou ter de queimar todas.

STANLEY [*o olhar fixo, perplexo*] – O que diabos é isso aí?

BLANCHE [*no chão, juntando as cartas*] – Poemas que um rapaz morto escreveu. Eu machuquei ele do mesmo modo que você quer me machucar, só que você não vai conseguir. Não sou mais jovem e vulnerável, mas o meu marido era, e eu... isso não interessa! Só me dê as cartas de volta.

STANLEY – O que você está querendo dizer com isso que vai ter de queimar elas?

BLANCHE – Desculpe, eu perdi a cabeça por um momento. Todo mundo tem alguma coisa que não quer que seja tocada pelos outros porque são... de natureza íntima. [*Agora ela parece debilitada pela exaustão e senta-se com o seu cofre e coloca os óculos e examina metodicamente uma pilha grande de papéis.*] Ambler & Ambler. Hmmm... Crabtree... Mais aqui da Ambler & Ambler.

STANLEY – O que é Ambler & Ambler?

BLANCHE – Uma firma que fazia empréstimos com a fazenda como garantia.

STANLEY – Então a fazenda se perdeu *mesmo*? Hipotecada?

BLANCHE [*tocando a testa*] – Deve ter sido isso o que aconteceu.

STANLEY – Eu não quero saber de "deve ter sido", "pode ser que foi", "quem sabe foi". O que é o resto dessa papelada?

[*Ela alcança para ele a caixa toda. Ele a leva para a mesa da cozinha e começa a examinar os papéis.*]

BLANCHE [*pegando um envelope grande cujo conteúdo são mais papéis*] – Existem milhares de papéis, que vão até os primeiros, com mais de cem anos, que têm a ver com Belle Reve e que, um a um, quer dizer, pedacinho por pedacinho de terra, os nossos avós e bisavós, em nada providentes, assim como o nosso pai e os nossos tios e nossos irmãos, trocaram por fornicações épicas (falando claro)! [*Tira os óculos com uma risada cansada.*] A palavra que é um palavrão de quatro letras nos privou da nossa fazenda, até que no fim tudo o que sobrou (e a Stella tem como averiguar isso) foi a casa e uns vinte acres de terra, incluindo aí um cemitério, que é onde estão todos agora, menos Stella e eu. [*Despeja o conteúdo do envelope na mesa.*] Aqui estão todos eles, todos os papéis! Estou doando eles todos a você. Agora você é o guardião oficial da papelada. Leve, examine... decore o texto de cada um deles! Acho que se encaixa como uma luva, que Belle Reve deva finalmente ser esse monte de papéis velhos nas suas mãos, fortes e capazes!... Será que a Stella já voltou com a minha coca limão? [*Recosta-se e fecha os olhos.*]

STANLEY – Eu tenho um conhecido que é advogado que vai estudar essa papelada.

BLANCHE – Quando levar os papéis a ele, leve junto um estoque de aspirina.

STANLEY [*acovardando-se um pouco*] – Você vê, sob o Código Napoleônico... o marido tem que se interessar pelos negócios da mulher... especialmente agora, que ela vai ter um bebê.

[*Blanche abre os olhos. A música do "piano de blues" agora toca mais alto.*]

BLANCHE – A Stella? A Stella vai ter um bebê? [*A expressão sonhadora:*] Eu não sabia que ela ia ter um bebê!

[*Ela se levanta e sai pela porta da frente. Stella aparece vindo da esquina com um pacote da lanchonete.*

[*Stanley vai para o quarto de dormir com o envelope e a caixa.*

[*Os aposentos do interior desaparecem aos poucos na escuridão, e a parede externa da casa fica visível.*

Blanche encontra Stella nos degraus que dão para a calçada.]

BLANCHE – Stella! Stella como em Estrela! Que maravilha, ter um neném! Está tudo bem. Tudo está bem.

STELLA – Que pena que ele fez isso.

BLANCHE – Ah, acho que ele simplesmente não é do tipo que gosta de perfume de jasmim, mas talvez ele seja o que precisamos para misturar com o nosso sangue agora que perdemos Belle Reve. Nós discutimos tudo, esgotamos o assunto. Estou me sentindo meio atordoada, mas acho que me saí muito bem. Dei risada e tratei da coisa como se fosse tudo uma grande piada. [*Steve e Pablo aparecem, carregando uma caixa de cerveja.*] Chamei Stanley de criança e ri e flertei. Sim, eu estava flertando com o seu marido! [*Quando os homens se aproximam:*] Os convidados estão chegando para o jogo de pôquer. [*Os dois homens passam entre elas e entram na casa.*] Para que lado nós vamos agora, Stella? Este lado?

STELLA – Não; este lado. [*Leva Blanche embora.*]

BLANCHE [*dando risada*] – Uma cega conduzindo outra cega!

[*Ouve-se a voz de um vendedor de tamales gritando.*]

VOZ DO VENDEDOR – Tamales! Bem apimentados!

CENA 3

A NOITE DO PÔQUER

Tem a imagem de um Van Gogh: um salão de sinuca à noite. A cozinha agora sugere um lúgubre brilho noturno, as cores toscas do espectro de cores da infância. Acima do linóleo amarelo da mesa da cozinha, pendurada no fio, há uma lâmpada, e a pantalha é de vidro, de uma cor verde vibrante. Os jogadores de pôquer (Stanley, Steve, Mitch e Pablo) usam camisas coloridas (azul liso, roxo, xadrez em vermelho e branco, verde-claro), e são todos homens no auge da virilidade do corpo, tão toscos e diretos e poderosos como as cores primárias. Na mesa, fatias coloridas de melancia, copos e garrafas de uísque. O quarto de dormir está relativamente escuro, iluminado apenas pela luz que atravessa os reposteiros que separam os dois cômodos e pela luz que entra pela grande janela do quarto, que dá para a rua.

Por um momento, há um silêncio de concentração, enquanto são dadas as cartas de uma rodada.

STEVE – Alguma carta é coringa nesta rodada?

PABLO – O valete de espadas e o valete de copas são coringa!

STEVE – Quero duas cartas.

PABLO – Você, Mitch?

MITCH – Eu tô fora.

PABLO – Uma.

MITCH – Alguém quer um trago?

Stanley – Pode pôr pra mim.

Pablo – Por que um de nós não vai até o chinês e traz uma montanha de *chop suey*?

Stanley – Quando eu estou perdendo você quer comer! Aposta mínima na mesa! Quem abre as apostas? Alguém para abrir as apostas! Tira a bunda da mesa, Mitch. Numa mesa de pôquer só pode ter cartas, salgadinho e uísque, nada mais. [*Ergue-se sorrateiro como um gato e atira algumas cascas de melancia no chão.*]

Mitch – Você até parece que está desabusado, hein?

Stanley – Quantas?

Steve – Eu quero três.

Stanley – Uma.

Mitch – Tô fora de novo. Daqui a pouco tenho que ir pra casa.

Stanley – Cale a boca.

Mitch – Tenho uma mãe doente. De noite, ela não dorme enquanto eu não chego em casa.

Stanley – Então por que você não fica em casa com ela?

Mitch – Ela me diz pra sair, então eu saio, mas não consigo me divertir. Fico o tempo todo pensando como será que ela está.

Stanley – Ah, pelo amor de Deus, vá pra casa então.

Pablo – O que é que você tem na mão?

Steve – Um *flush* de espadas.

Mitch – Vocês são todos casados. Mas eu vou ficar sozinho quando ela se for... Vou no banheiro.

Stanley – Volta logo, que nós vamos te arranjar uns peitinhos pra você mamar as delícias da vida.

Mitch – Hê... vão-se à merda, vocês. [*Atravessa o quarto e entra no banheiro.*]

Steve [*dando as cartas*] – *Stud* de sete cartas. [*Contando uma piada enquanto dá as cartas:*] Tinha esse fazendeiro velhinho que tava nos fundos da casa dele, sentado, jogando milho pras galinhas, quando, de repente, ele escuta um cacarejar bem alto, e essa franguinha chega ventando, vindo dali do lado da casa, com o galo logo atrás dela e ganhando terreno.

Stanley [*impaciente com a história*] – Dá as cartas de uma vez!

Steve – Mas quando o galo enxerga o fazendeiro jogando milho, ele pisa no freio e deixa a franguinha se safar e começa ele mesmo a catar milho. E o velhinho diz: "Deus do Céu, tomara qu'eu num fique nunca com *tanta* fome assim!"

[*Steve e Pablo riem. As irmãs aparecem, dobrando a esquina do prédio.*]

Stella – O jogo ainda não terminou.

Blanche – Como é que eu estou?

Stella – Muito linda, Blanche.

Blanche – Estou me sentindo um farrapo, e também estou com tanto calor. Espere um pouco, até eu retocar a maquiagem antes de você abrir a porta. Estou com cara de cansaço?

Stella – Nem um pouquinho. Parece novinha em folha.

Blanche – Uma folha amarrotada.

[*Stella abre a porta, e elas entram.*]

STELLA – Ora, ora, ora. Estou vendo que os meninos ainda estão na jogatina.

STANLEY – Onde é que vocês estavam?

STELLA – Blanche e eu fomos assistir a um show. Blanche, este é o sr. Gonzales. E o sr. Hubbell.

BLANCHE – Por favor, não se levantem.

STANLEY – Não precisa ter medo, ninguém vai se levantar.

STELLA – Quanto tempo ainda vocês vão ficar jogando?

STANLEY – Até que a gente teja pronto pra terminar.

BLANCHE – O pôquer é um jogo fascinante. Posso ficar peruando?

STANLEY – Pode não. Por que é que vocês duas não vão lá pra cima e ficam com a Eunice?

STELLA – Porque já é quase duas e meia da madrugada. [*Blanche vai para o quarto de dormir e fecha parcialmente os reposteiros.*] Será que vocês podem encerrar o jogo depois dessa rodada?

[*Ouve-se o rangido de uma cadeira. Stanley larga a mão num tapa barulhento na coxa de Stella.*]

STELLA [*ríspida*] – Isso não tem graça, Stanley. [*Os homens caem na gargalhada. Stella vai para o quarto.*] Eu fico furiosa quando ele faz isso na frente dos outros.

BLANCHE – Acho que vou tomar um banho.

STELLA – De novo?

BLANCHE – Estou com os nervos à flor da pele. Tem gente no banheiro?

STELLA – Não sei.

[*Blanche bate à porta do banheiro. Mitch abre a porta e sai, ainda enxugando as mãos numa toalha.*]

BLANCHE – Ah! ...Boa noite.

MITCH – Oi. [*Fica olhando para Blanche.*]

STELLA – Blanche, este é Harold Mitchell. Minha irmã, Blanche DuBois.

MITCH [*com uma cortesia atrapalhada*] – Muito prazer, srta. DuBois.

STELLA – A sua mãe está melhor, Mitch?

MITCH – Na mesma, mas obrigado por perguntar. Ela ficou muito agradecida por você ter mandado aquele doce... Com licença.

[*Ele volta bem devagar para a cozinha, olha para trás para olhar Blanche e dá umas tossidinhas tímidas. Depois se dá conta de que ainda está com a toalha na mão e, com uma risada constrangida, alcança a toalha para Stella. Blanche fica olhando para ele com um certo interesse.*]

BLANCHE – Esse aí parece... superior aos outros.

STELLA – Sim, ele é.

BLANCHE – Achei que ele tem um jeito de olhar que é sensível.

STELLA – A mãe dele está doente.

BLANCHE – Ele é casado?

STELLA – Não.

BLANCHE – É mulherengo?

STELLA – Ora, Blanche! [*Blanche ri.*] Acho que não é.

BLANCHE – O que ele... qual é o trabalho dele? [*Vai desabotoando a blusa.*]

STELLA – Ele trabalha no setor de precisão do departamento de peças sobressalentes. Na mesma fábrica essa onde o Stanley trabalha viajando.

BLANCHE – É um trabalho importante?

STELLA – Não. O Stanley é o único desse grupo que provavelmente tem algum futuro.

BLANCHE – O que a faz pensar que o Stanley tem e os outros não?

STELLA – É só olhar para ele.

BLANCHE – Eu já olhei para ele.

STELLA – Então você devia saber.

BLANCHE – Me desculpe, mas eu não vi nenhum carimbo de "gênio" na testa do Stanley.

[*Tira a blusa e fica parada, de pé, sutiã de seda rosa e saia branca, na luz que vem dos reposteiros. O jogo de cartas prossegue agora em vozes abafadas.*]

STELLA – Não está na testa, e não é "gênio".

BLANCHE – Ah. Bom, então o que é, e onde está? Eu gostaria de saber.

STELLA – É uma força interior que ele tem. Você está bem na luz, Blanche!

BLANCHE – Ah, estou mesmo.

[*Ela sai da faixa amarelada de luz. Stella tirou o vestido e vestiu um quimono de cetim azul-claro.*]

STELLA [*com uma risada de criança*] – Você devia ver as mulheres deles.

BLANCHE [*como quem ri*] – Posso imaginar. Devem ser grandes, gordas, corpulentas.

Stella – Sabe a que mora no apartamento de cima? [*Mais risadas.*] Uma vez [*rindo*] o gesso do teto... [*rindo*] rachou...

Stanley – Vocês duas galinhando aí, chega de conversa.

Stella – Vocês não podem nos escutar daí.

Stanley – Bem, você está me escutando daí e eu estou mandando ficar quieta!

Stella – Estou na minha casa e vou conversar o quanto eu quiser.

Blanche – Stella, não comece uma briga.

Stella – Ele está meio tocado pela bebida... Eu vou sair daqui a pouquinho.

[*Vai até o banheiro. Blanche levanta-se e vai sem pressa alguma até um radinho branco e liga o aparelho.*]

Stanley – E aí, Mitch, quer carta?

Mitch – O quê? Ah!... Não, eu tô fora.

[*Blanche volta para a faixa de luz. Ergue os braços e espreguiça-se, enquanto, devagarinho, volta lânguida para a cadeira.*

[*O rádio está tocando uma rumba. Mitch levanta-se da mesa.*]

Stanley – Quem foi que ligou isso aí dentro?

Blanche – Eu liguei. Você se importa?

Stanley – Desligue!

Steve – Heeee, deixe as meninas ter a música delas.

Pablo – Claro, é música boa, deixe ligado.

Steve – Parece Xavier Cugat[1]!

---

1. Conhecido como Rei da Rumba, popularizou a música latina nos Estados Unidos nas décadas de 30 e 40. (N.T.)

[*Stanley sai da mesa de um salto, vai até o rádio e o desliga. Ele para de chofre quando vê Blanche na cadeira. Ela sustenta o olhar dele sem piscar. Então ele volta para a mesa de pôquer.*

[*Dois dos homens estão agora engajados numa discussão acalorada.*]

STEVE – Não ouvi você pedir carta.

PABLO – Eu não pedi carta, Mitch?

MITCH – Eu não estava prestando atenção.

PABLO – O que você estava fazendo, então?

STANLEY – Ele estava espiando pela fresta da cortina. [*Levanta-se de um salto e dá um puxão nos reposteiros para fechá-los bem fechados.*] Agora vamos dar as cartas de novo e vamos jogar ou então encerramos por aqui. Tem gente que quando está ganhando parece que sentou num formigueiro.

[*Mitch levanta-se quando Stanley volta ao seu lugar à mesa.*]

STANLEY [*gritando*] – Senta!

MITCH – Vou ali no mijadouro. Não precisa me dar cartas.

PABLO – Claro que ele está sentado num formigueiro agora. Sete notas de cinco dólares no bolso da calça, dobradas bem dobradinhas, como bolinhas de papel mascado!

STEVE – Amanhã você vai ver ele no guichê do caixa, trocando as notas em moedas de 25 centavos.

STANLEY – E, quando ele for pra casa, vai depositar todas as moedas, uma de cada vez, no cofrinho que a mãe deu pra ele de Natal, um porquinho cor-de-rosa. [*Dando as* *cartas.*] Este jogo aqui não passa de uma cusparada no oceano.

[*Mitch ri sem graça e passa pelos reposteiros. Para assim que entra no quarto.*]

BLANCHE [*suavemente*] – Oi. O banheiro dos rapazes está ocupado agora.

MITCH – Nós... tomamos muita cerveja.

BLANCHE – Eu detesto cerveja.

MITCH – É... uma bebida para dias quentes.

BLANCHE – Não acho, não. Sempre me dá mais calor. Você tem um cigarro? [*Ela vestiu o roupão vermelho escuro de cetim.*]

MITCH – Claro.

BLANCHE – De que marca?

MITCH – Luckies.

BLANCHE – Ah, ótimo. Que cigarreira bonita. De prata?

MITCH – Sim. Sim; leia o que está gravado.

BLANCHE – Ah, tem uma gravação? Eu não consigo ler. [*Ele risca um fósforo e aproxima-se dela.*] Ah! [*Lendo com dificuldade fingida:*]

"E, se Deus assim quiser,
Vou te amar ainda mais... após... a morte!"

Ora, isso é tirado do meu soneto favorito de Mrs. Browning[2]!

MITCH – Você conhecia?

BLANCHE – Claro que eu conhecia.

MITCH – Essa gravação tem uma história.

---
2. Referência à poeta inglesa Elizabeth Browning, autora de sonetos românticos. (N.T.)

Blanche – E pelo jeito é uma história romântica.

Mitch – Uma história muito triste.

Blanche – É mesmo?

Mitch – A moça já morreu.

Blanche [*num tom de profundas condolências*] – Ah!

Mitch – Ela sabia que estava morrendo quando me deu a cigarreira de presente. Uma moça muito estranha, muito doce e suave... muito mesmo!

Blanche – Deve ter gostado muito de você. Pessoas doentes criam vínculos muito profundos e muito sinceros.

Mitch – É verdade, criam mesmo.

Blanche – A dor leva à sinceridade, é o que eu penso.

Mitch – Com certeza. Uma e outra parece que andam juntas nas pessoas.

Blanche – A sinceridade é escassa neste mundo e pertence às pessoas que já passaram por algum sofrimento.

Mitch – Acho que você está certa nesse ponto.

Blanche – Tenho certeza que sim. Me mostre uma pessoa que não passou por nenhum sofrimento e eu lhe mostro uma pessoa superficial... Olhe só como eu estou! A fala... arrastada. Vocês, rapazes, são responsáveis por isso. O show acabou às onze, e nós não podíamos voltar para casa por causa do jogo de pôquer, então tivemos de ir a algum lugar e ficamos bebendo. Eu não estou acostumada a tomar mais do que um drinque. Dois é o meu limite... e *três!* [*Ela ri.*] Hoje eu tomei três.

Stanley – Mitch!

Mitch – Não precisa me dar cartas. Estou conversando com a senhorita ...

Blanche – DuBois.

Mitch – Srta. DuBois?

Blanche – É um nome francês. Quer dizer bosque, e Blanche quer dizer branco, então os dois nomes juntos querem dizer bosque branco. Como um pomar na primavera! Você pode memorizar assim.

Mitch – Você é francesa?

Blanche – Nossa família é francesa pela ascendência. Nossos primeiros antepassados americanos eram huguenotes franceses.

Mitch – Você é a irmã da Stella, não é?

Blanche – Sim, a Stella é a minha irmãzinha querida. Eu digo que ela é minha irmãzinha apesar de ela ser um pouco mais velha que eu. Só um pouquinho. Menos de um ano. Você me faria um favor?

Mitch – Claro. O quê?

Blanche – Eu comprei esta gracinha de lanterna de papel colorido numa loja de chineses na Bourbon. Você podia cobrir a lâmpada com esta lanterna chinesa? Por favor?

Mitch – Com muito prazer.

Blanche – Eu não posso ver uma lâmpada assim, sem um lustre, sem nada. É como um comentário grosseiro ou um gesto vulgar.

Mitch [*ajeitando a lanterna chinesa*] – Imagino que para você nós somos um bando de gente grossa.

Blanche – Eu sempre tive facilidade de me adaptar... às circunstâncias.

Mitch – Bom, isso é uma qualidade. Você veio passar uns dias com o Stanley e a Stella?

BLANCHE – A Stella não tem andado muito bem ultimamente, e eu vim para ajudar por um tempinho. Ela anda muito cansada.

MITCH – Você não é...?

BLANCHE – Casada? Não, não. Sou a típica professora velha e solteirona!

MITCH – Você até pode ser professora, mas com certeza não é uma velha solteirona.

BLANCHE – Muito obrigada, senhor! Eu lhe agradeço o elogio.

MITCH – Então você trabalha no magistério?

BLANCHE – Sim. Ah, sim...

MITCH – Ensino fundamental ou ensino médio ou...

STANLEY [*berrando*] – *Mitch!*

MITCH – *Já vai!*

BLANCHE – Minha nossa, é um pulmão potente! ...Eu leciono no ensino médio. Em Laurel.

MITCH – E você leciona o quê? Que matéria?

BLANCHE – Adivinhe!

MITCH – Aposto que você ensina artes ou música. [*Blanche ri com delicadeza.*] Claro que posso estar errado. Você pode ser uma professora de aritmética.

BLANCHE – Jamais aritmética, senhor; jamais aritmética! [*Com uma risada:*] Não sei nem a tabuada de cor. Não, eu tenho o infortúnio de ser uma professora de inglês e literatura. Tento instilar num bando de mocinhas adolescentes e Romeus de lanchonete alguma reverência por Nathaniel Hawthorne e por Walt Whitman e por Edgar Allan Poe!

Mitch – Imagino que alguns deles estejam mais interessados em outros assuntos.

Blanche – Você tem toda razão! A herança literária de nossa língua não é o que a maioria deles considera relevante! Mas eles são uns queridinhos. E, na primavera, é comovente observar que estão fazendo suas primeiras descobertas do amor! Como se ninguém tivesse descoberto o amor antes deles! [*A porta do banheiro se abre e Stella sai. Blanche continua conversando com Mitch.*] Ah! Você já terminou? Espere... eu vou ligar o rádio.

[*Gira os botões do rádio, e está começando a tocar* Wien, Wien, nur du allein. *Blanche sai valsando ao som da música, com gestos românticos. Mitch está deliciado e movimenta-se numa imitação desajeitada, como um urso dançarino.*]

[*Stanley irrompe no quarto, com ferocidade, passando pelos reposteiros. Vai até o pequeno rádio branco e arranca-o da penteadeira. Gritando um palavrão, joga o rádio pela janela.*]

Stella – *Bêbado... bêbado... um animal, é o que você é!* [*Corre até a mesa de pôquer:*] Vocês todos... por favor, vão para casa! Se algum de vocês tem um mínimo de decência...

Blanche [*num grito desesperado*] – Stella, cuidado, ele vai...

[*Stanley sai correndo atrás de Stella.*]

Homens [*com vozes débeis*] – Vá com calma, Stanley. Devagar, amigão... Vamos todos...

Stella – Você baixa a mão em mim, e eu vou...

[*Ela recua até ficar fora de vista. Ele avança na direção dela e desaparece também. Ouve-se o som de uma pancada. Stella grita. Blanche berra e corre até a cozinha. Os homens se apressam em acudir, acontece uma luta corpo a corpo, e há palavrões. Algum móvel é derrubado com estrondo.*]

BLANCHE [*esganiçada*] – Minha irmã está esperando neném!

MITCH – Isso é terrível.

BLANCHE – Loucura, total insanidade!

MITCH – Tragam ele pra cá, homens.

[*Stanley é levado à força para o quarto de dormir, manietado pelos dois homens. Ele quase consegue se livrar deles. Então, de repente, desiste de lutar e fica entregue, os outros dois segurando-o.*]

[*Eles falam em voz baixa e carinhosa com ele, e ele encosta o rosto no ombro de um deles.*]

STELLA [*numa voz aguda e totalmente fora do normal, fora da visão dos outros*] – Quero ir embora daqui, quero ir embora daqui!

MITCH – Não se deve jogar pôquer numa casa com mulheres.

[*Blanche corre para o quarto.*]

BLANCHE – Eu quero as roupas da minha irmã. Nós vamos para o apartamento daquela mulher lá de cima.

MITCH – Onde estão as roupas?

BLANCHE [*abrindo o* closet] – Peguei as roupas! [*Corre até onde está Stella.*] Stella, Stella, mimosa! Querida, maninha querida, não tenha medo!

[*Segurando Stella num abraço, Blanche a conduz para a porta da frente e para o andar de cima.*]

STANLEY [*a voz embotada*] – O que houve? Qual é o problema?

MITCH – Você ficou fora de si, Stan.

PABLO – Ele está bem agora.

STEVE – Claro, este é o meu rapaz, e ele está bem.

MITCH – Ponham ele na cama e peguem uma toalha úmida.

PABLO – Acho que café ia ajudar muito agora.

STANLEY [*a voz pastosa*] – Quero água.

MITCH – Ponham ele debaixo do chuveiro!

[*Os homens conversam em voz baixa enquanto levam Stanley para o banheiro.*]

STANLEY – Eu preciso tirar esse tesão de mim, seus filhos da puta!

[*Sons de pancadaria. A água cai do chuveiro torrencialmente.*]

STEVE – Vamos embora daqui, rápido!

[*Eles correm para a mesa de pôquer e pegam os seus ganhos, já de saída.*]

MITCH [*triste, mas com firmeza na voz*] – Não se deve jogar pôquer numa casa com mulheres.

[*A porta se fecha atrás deles, e o apartamento fica em silêncio. Os músicos negros do bar logo ali, virando a esquina, estão tocando* Paper Doll, *canção lenta e melancólica. Dali a pouco, Stanley sai do banheiro pingando e ainda de cueca – molhada, grudada no corpo, uma cueca branca de bolinhas pretas.*]

STANLEY – Stella! [*Faz-se uma pausa.*] A minha bonequinha me abandonou! [*Começa a chorar, soluçando alto. Então vai para o telefone e disca um número, ainda estremecendo do choro soluçado.*] Eunice? Eu quero o meu amorzinho! [*Espera um momento; então desliga e disca mais uma vez.*] Eunice! Eu vou ficar ligando e ligando até eu falar com o meu amorzinho!

[*Ouve-se uma voz esganiçada e indiscernível. Ele joga o telefone no chão. Sons dissonantes de instrumento de sopro e de piano enquanto os cômodos vão escurecendo e as paredes externas aparecem à luz da noite. O "piano de blues" toca por um curto período de tempo.*

[*Por fim, Stanley sai tropeçando, sem estar completamente vestido, para o patamar e desce os degraus de madeira até a calçada diante do prédio. Ali ele joga a cabeça para trás e, como um cão de caça que persegue a presa, berra o nome da mulher: "Stella! Stella, meu bem! Stella!"*]

STANLEY – Stell-*lahhhhh!*

EUNICE [*chamando da porta do apartamento de cima*] – Para de uivar aí na rua e volta pra cama!

STANLEY – Eu quero o meu amorzinho aqui embaixo. Stella, Stella!

EUNICE – Ela não vai descer, então para com isso! Ou você vai receber é a visita da polícia, isso sim!

STANLEY – Stella!

EUNICE – Você não pode bater numa mulher e depois chamar ela de volta! Ela não vem! E ainda por cima esperando um bebê!... Canalha imundo! Polaco filho duma cadela é o que você é! Tomara que venham te buscar, que é pra mirar a água da mangueira de incêndio em você, como fizeram da outra vez!

STANLEY [*com humildade*] – Eunice, eu quero que a minha garota venha aqui pra baixo ficar comigo!

Eunice – Hah! [*Bate a porta.*]

Stanley [*com uma violência de rachar o firmamento*] – *STELL-LAHHHHH!*

[*Geme o clarinete de tom grave. A porta lá em cima abre-se de novo. Stella, de roupão, desce de mansinho os degraus frouxos da escada, que balança. Seus olhos brilham cheios de lágrimas, e o cabelo solto cai sobre pescoço e ombros. Os dois se olham. E então se abraçam com gemidos baixinhos, animais. Ele se ajoelha nos degraus e encosta o rosto com força de encontro à barriga dela, já um pouco arredondada pela gravidez. Os olhos dela ficam cegos de ternura e ela pega a cabeça dele e ergue-o para que fique de pé como ela. Ele abre a porta de tela, pega ela no colo e a leva para dentro do apartamento às escuras.*]

[*Blanche, de roupão, sai para o patamar dos degraus de entrada do apartamento de cima e desce a escada de mansinho, com medo.*]

Blanche – Onde está a minha irmãzinha? Stella? Stella?

[*Para diante da porta às escuras do apartamento da irmã. Então prende o fôlego, como se tivesse sido atingida por um raio. Corre para a calçada diante da casa. Olha para a direita e para a esquerda, como se estivesse procurando por um santuário.*]

[*A música vai sumindo. Mitch aparece, dobrando a esquina.*]

Mitch – Srta. DuBois?

Blanche – Ah!

Mitch – Tudo sossegado agora, depois do motim?

Blanche – Ela correu aqui para baixo e voltou para dentro com ele.

Mitch – Claro que sim.

Blanche – Estou apavorada!

Mitch – Ora, ora, não tem nada com o que se assustar. Esses dois são loucos um pelo outro.

Blanche – Eu não estou acostumada com tanta...

Mitch – É uma pena que isso foi acontecer logo quando você recém chegou. Mas não leve a sério.

Blanche – Violência! É tão...

Mitch – Sente-se aqui nos degraus e fume um cigarro comigo.

Blanche – Eu não estou decente.

Mitch – De roupa ou de roupão, isso não faz diferença aqui no French Quarter.

Blanche – Uma cigarreira de prata tão linda!

Mitch – Mostrei pra você a gravação, não foi?

Blanche – Sim. [*Durante a pausa, ela olha para o céu.*] Tem tanta... tanta confusão no mundo... [*Ele tosse, hesitante, acanhado.*] Obrigada por ser tão atencioso, tão gentil. Estou precisando agora que me tratem com gentileza.

CENA 4

É cedo na manhã seguinte. Há uma balbúrdia de gritos que chegam da rua como se fossem um coro de vozes.

Stella está deitada no quarto de dormir. Seu rosto está sereno na luz do começo da manhã. Ela tem a mão sobre a barriga, já um pouco arredondada pela gravidez. Na outra mão, um livro colorido de histórias em quadrinhos. Os olhos e os lábios têm aquela tranquilidade quase narcotizada que se vê nas expressões dos ídolos orientais.

A mesa está uma bagunça, com os restos do café da manhã e os detritos da noite anterior, e o pijama de cores berrantes de Stanley está jogado por cima da porta do banheiro. A porta da frente está aberta um tantinho, e pela fresta dá para ver um céu luminoso de verão.

Blanche aparece por essa porta. Passou uma noite insone, e sua aparência contrasta em tudo com a de Stella. Ela pressiona as juntas dos dedos contra os lábios, nervosa, enquanto olha pela porta, antes de entrar.

BLANCHE – Stella?

STELLA [*mexendo-se com preguiça*] – Hmmh?

[*Blanche solta um grito gemido e corre para o quarto, jogando-se na cama ao lado de Stella num acesso de demonstrações histéricas de carinho.*]

BLANCHE – Amorzinho, minha maninha querida!

STELLA [*afastando-se*] – Blanche, o que tem de errado com você?

[*Blanche endireita-se lentamente e fica de pé ao lado da cama olhando para a irmã com as juntas dos dedos pressionadas com força contra os lábios.*]

Blanche – Ele saiu?

Stella – O Stan? Sim.

Blanche – Ele vai voltar?

Stella – Ele saiu para levar o carro para lubrificar. Por quê?

Blanche – Por quê? Fiquei doida de preocupação, Stella! Quando descobri que você tinha sido insana o suficiente para voltar para cá depois do que aconteceu... eu quase que entrei correndo aqui atrás de você!

Stella – Ainda bem que não entrou.

Blanche – O que você estava pensando? [*Stella faz um gesto indefinido.*] Me responda! O quê, hã? O quê?

Stella – Por favor, Blanche! Sente-se e pare de gritar.

Blanche – Tudo bem, Stella. Vou repetir a pergunta em voz baixa agora. Como é que você pôde voltar para cá ontem? Ora, você deve ter dormido com ele!

[*Stella levanta-se com toda a calma, sem pressa nenhuma.*]

Stella – Blanche, eu tinha me esquecido de como você fica impressionada com tudo com tanta facilidade. Você está fazendo uma tempestade em copo d'água.

Blanche – Estou, é?

Stella – Sim, está, Blanche. Eu sei como deve ter parecido horrível para você, e eu lamento, lamento mesmo que tenha acontecido aquilo, mas não foi nada tão sério como você pelo jeito está pensando. Em primeiro lugar, quando homens estão bebendo e jogando pôquer, tudo pode acontecer. Sempre é um barril de pólvora. Ele não sabia o que estava fazendo... Ele estava bonzinho como um carneirinho quando voltei para cá e ele está de verdade muito, muito envergonhado do que fez.

Blanche – E isso... isso faz as coisas ficarem bem?

Stella – Não, não fica tudo bem quando uma pessoa, qualquer pessoa, puxa uma briga horrível como aquela, mas... isso acontece com todo mundo de vez em quando. O Stanley sempre foi de quebrar as coisas. Ora, na noite do nosso casamento... assim que a gente chegou em casa... ele pegou um dos meus chinelinhos de salto alto e passou em revista todo o apartamento, quebrando todas as lâmpadas com o salto do meu chinelinho.

Blanche – Ele fez... *o quê?*

Stella – Quebrou todas as lâmpadas com o salto do meu chinelinho! [*Ri.*]

Blanche – E você... você *deixou?* Não *correu,* não *gritou?*

Stella – Eu fiquei... meio que... fascinada com aquilo. [*Ela espera um momento.*] Eunice e você já tomaram café?

Blanche – E você pensa que eu tinha estômago para o café da manhã?

Stella – Sobrou café; está no fogão.

Blanche – Você encara isso de modo tão... casual, Stella.

Stella – De que outro modo pode ser? Ele levou o rádio para consertar. Não caiu no calçamento, então foi só uma válvula que quebrou.

Blanche – E você fica aí, sorrindo!

Stella – O que você quer que eu faça?

Blanche – Recomponha-se e encare os fatos.

Stella – E quais são os fatos, na sua opinião?

BLANCHE – Na minha opinião? Você está casada com um maluco!

STELLA – Não!

BLANCHE – Sim, está. A sua situação é pior que a minha! Só que você não está usando de bom senso. Pois eu vou *fazer* alguma coisa. Vou me recompor e vou construir uma vida nova para mim.

STELLA – É mesmo?

BLANCHE – Mas você entregou os pontos. E isso não está certo, você não é nenhuma velha! Você pode cair fora dessa situação.

STELLA [*muito devagar e muito enfática*] – Eu não estou em nenhuma situação da qual eu queira cair fora.

BLANCHE [*incrédula*] – O que...? Stella?

STELLA – Eu disse que não estou em nenhuma situação da qual eu deseje cair fora. Olhe só a bagunça deste quarto! E aquelas garrafas vazias! Eles acabaram com duas caixas ontem de noite. Ele me prometeu hoje de manhã que vai parar com essas partidas de pôquer, mas a gente sabe quanto tempo dura uma promessa dessas. Ah, bom, é a diversão dele, assim como a minha é ir ao cinema e jogar *bridge*. As pessoas têm que tolerar os hábitos uns dos outros, eu acho.

BLANCHE – Eu não entendo você. [*Stella vira-se para Blanche.*] Eu não entendo a sua indiferença. Isso é alguma filosofia chinesa que você anda... cultivando?

STELLA – O que é... o quê?

BLANCHE – Isso... arrastando os pés e resmungando... "só uma válvula quebrou... garrafas de cerveja... bagunça na cozinha!" ...como se nada fora do normal tivesse acontecido! [*Stella ri sem muita convicção e gira entre as mãos* *o cabo da vassoura que recém havia pegado.*] Você está sacudindo essa coisa na minha cara de propósito?

Stella – Não.

Blanche – Pare com isso. Largue essa vassoura. Não vou permitir que você limpe a casa para ele!

Stella – Então quem é que vai limpar? Você?

Blanche – Eu? Eu!

Stella – Foi o que eu pensei.

Blanche – Ah, me deixe pensar. Se ao menos a minha cabeça funcionasse! Nós precisamos conseguir algum dinheiro. Essa é a saída!

Stella – Acho que sempre é bom conseguir dinheiro.

Blanche – Me escute. Eu tenho uma ideia. [*Com tremor nas mãos, ela ajeita um cigarro na piteira.*] Você se lembra do Shep Huntleigh? [*Stella faz que não com a cabeça.*] Claro que se lembra. Shep Huntleigh. Eu saía com ele nos tempos de faculdade, e por um tempo a gente namorou firme. Bem...

Stella – Bem...?

Blanche – Encontrei com ele por acaso neste último inverno. Você sabe que eu fui para Miami no feriado prolongado de Natal?

Stella – Não.

Blanche – Bom, eu fui. Encarei a viagem como um investimento, pensando que podia encontrar alguém com um milhão de dólares.

Stella – Encontrou?

Blanche – Sim. Encontrei Shep Huntleigh... por acaso, na Biscayne Boulevard, na véspera de Natal, já anoitecendo...

ele entrando no carro... um Cadillac conversível; devia ser do comprimento de um quarteirão.

STELLA – Eu imagino que deva ser... inconveniente no trânsito.

BLANCHE – Você já ouviu falar de poços de petróleo?

STELLA – Sim... por alto.

BLANCHE – Ele tem poços de petróleo espalhados por todo o Texas. Texas está literalmente jorrando ouro no bolso dele.

STELLA – Ora, veja só!

BLANCHE – Você sabe que não ligo a mínima para dinheiro. Penso em dinheiro em termos de o que ele pode fazer por você. Mas Shep Huntleigh pode fazer, ele com certeza pode fazer!

STELLA – Fazer o quê, Blanche?

BLANCHE – Ora... abrir uma loja para nós!

STELLA – Que tipo de loja?

BLANCHE – Ah, uma... loja de algum tipo! Ele podia fazer isso com metade do que a mulher dele gasta em corridas de cavalo.

STELLA – Ele é casado?

BLANCHE – Querida, você acha que eu estaria aqui se o homem não fosse casado? [*Stella ri um pouco. Blanche de repente se levanta e vai até o telefone. Fala com a voz esganiçada.*] Como eu faço para me conectar com a Western Union? ...Telefonista! Western Union!

STELLA – Esse é um telefone de discagem automática, querida.

BLANCHE – Eu não posso discar, estou muito...

Stella – Disque o zero.

Blanche – Zero?

Stella – Sim, zero, para falar com a telefonista.

[*Blanche para para pensar por um momento; depois, põe o fone de volta no gancho.*]

Blanche – Me alcance um lápis. Onde é que você tem papel? Primeiro eu preciso escrever o que vou falar... quer dizer, a mensagem. [*Vai até a penteadeira e pega um lenço de papel e um lápis de sobrancelha como material de escrita.*] Agora deixe-me ver... [*Morde o lápis.*] "Querido Shep. Irmã e eu em situação desesperadora."

Stella – Como é que é?

Blanche – "Irmã e eu em situação desesperadora. Explico detalhes depois. Teria interesse em...?" [*Morde o lápis de novo.*] "Teria... interesse... em..." [*Esmaga o lápis no tampo da penteadeira e põe-se de pé de um pulo.*] Ninguém chega a lugar nenhum com pedidos diretos.

Stella [*com uma risada*] – Não seja tão ridícula, meu bem!

Blanche – Mas eu vou pensar em alguma coisa. Eu *tenho* de pensar em... alguma coisa! Não, não ria de mim, Stella! Por favor, por favor não... eu... eu quero que você veja o que tem dentro da minha bolsa! Olhe o que eu tenho na minha bolsa! [*Abre a bolsa de qualquer jeito.*] Sessenta e cinco míseros centavos em moeda corrente!

Stella [*indo até a cômoda*] – Stanley não me dá uma mesada regular, ele gosta de pagar ele mesmo as contas, mas... hoje de manhã ele me deu dez dólares para me amaciar. Você fica com cinco, Blanche, e eu fico com o resto.

Blanche – Ah, não. Não, Stella.

Stella [*insistindo*] – Eu sei como isto dá outra disposição para a gente, saber que se tem algum dinheiro na bolsa.

Blanche – Não, obrigada... prefiro conseguir algum dinheiro nas ruas!

Stella – Não diga besteiras! Como é que você conseguiu ficar tão sem dinheiro?

Blanche – Dinheiro simplesmente some... some em vários lugares. [*Esfrega a testa.*] Alguma hora ainda hoje eu preciso tomar um antiácido!

Stella – Eu vou preparar um agora para você.

Blanche – Agora já não... preciso continuar pensando!

Stella – Eu queria que você relaxasse, esquecesse tudo isso, pelo menos por... um tempo.

Blanche – Stella, eu não posso morar com ele! Você pode, ele é o seu marido. Mas como eu poderia ficar aqui com ele, depois de ontem de noite, só com essa cortininha entre mim e ele?

Stella – Blanche, você viu o pior dele ontem de noite.

Blanche – Pelo contrário, eu vi o melhor dele! O que um homem assim tem a oferecer é força bruta, e ele deu um show e tanto disso! Mas a única forma de morar com um homem desses é... indo para a cama com ele! E essa função é sua... não minha.

Stella – Depois que você dormir um pouco, você vai ver que vai dar certo. Você não precisa se preocupar com nada enquanto estiver aqui. Quero dizer... com gastos.

Blanche – Eu preciso fazer planos para nós duas, dar um jeito de nos *tirar* daqui.

Stella – Você toma como certo que eu estou numa situação da qual eu quero sair.

Blanche – Eu tomo como certo que você ainda tem lembranças suficientes de Belle Reve para concluir que é impossível viver neste lugar e conviver com aqueles jogadores de pôquer.

Stella – Bem, você está tomando como certo uma enormidade de coisas.

Blanche – Não posso acreditar que você esteja falando de coração.

Stella – Não?

Blanche – Eu posso entender como aconteceu... um pouco. Você o viu de uniforme, um oficial, não aqui neste apartamento, mas...

Stella – Não acho que teria feito a mínima diferença onde eu o vi.

Blanche – Mas não venha me dizer que foi uma daquelas coisas eletrizantes, cheias de mistério, entre duas pessoas! Se você disser isso, eu vou rir na sua cara.

Stella – Não vou dizer nem uma palavra mais sobre este assunto.

Blanche – Tudo bem, então, não diga!

Stella – Mas existem coisas que acontecem entre um homem e uma mulher no escuro... que meio que fazem tudo o mais parecer... sem importância. [*Pausa.*]

Blanche – Você está falando é de desejo animal... e só... Desejo!... nome daquele bonde desconjuntado, barulhento, o ferro-velho que passa sacolejando pelo French Quarter, subindo uma ruela estreita e descendo outra...

Stella – E você nunca andou nesse bonde?

Blanche – Ele me trouxe até aqui... onde não me querem e onde me sinto envergonhada de estar...

Stella – Então você não acha que a sua atitude de superioridade está um pouco fora de sintonia?

Blanche – Não estou me sentindo superior nem estou sendo superior, Stella, longe disso. Acredite: longe disso! Acontece que é assim que eu vejo as coisas. Um homem como esse é alguém para se namorar... uma... duas... três vezes quando o diabo toma conta do seu corpo. Mas, morar com ele? Ter um filho dele?

Stella – Eu já disse a você que eu amo esse homem.

Blanche – Então só me resta tremer de medo por você! Eu simplesmente... *tremo*... por você...

Stella – Não posso ajudar você, Blanche, se vai insistir em tremer de medo!

[*Faz-se uma pausa.*]

Blanche – Será que eu posso... falar... *sem rodeios?*

Stella – Sim, por favor. Vá em frente. Seja o mais direta e franca que você quiser.

[*Lá fora, um trem vem se aproximando. Elas ficam em silêncio até o barulho diminuir. Estão as duas no quarto de dormir.*

[*Coincidindo com o barulho do trem, Stanley chega da rua e entra em casa. Ele fica parado, de pé, segurando uns pacotes nos braços, sem que as mulheres o vejam, e sem querer escuta a conversa que se segue entre as duas. Está usando uma camiseta sem mangas e uma calça listrada, de anarruga, suja de graxa.*]

Blanche – Bom... me desculpe, mas ele é *comum!*

Stella – Sim, claro, suponho que seja, mesmo.

BLANCHE – Você supõe! Não pode ter esquecido tanto assim da nossa educação, Stella, de como nós fomos criadas. Você não pode estar *supondo* que seja da natureza dele ter um mínimo de cavalheirismo. Ele não tem *nem uma partícula* de cavalheirismo! Ah, se ele fosse só... *comum*! Fosse apenas... *simples*, sem graça... mas uma pessoa boa e saudável... mas *não*. Tem alguma coisa nele que é explicitamente... *animal*! Você está me odiando por dizer isso, não é?

STELLA [*com frieza*] – Vá, diga tudo, Blanche.

BLANCHE – Ele se comporta como um animal, tem hábitos de animal. Come, caminha, fala, tudo como um bicho! Tem até mesmo alguma coisa... subumana... alguma coisa que ainda não atingiu o estágio de humanidade. Sim, tem algo... simiesco nele, como num daqueles desenhos que eu vi... nas aulas de antropologia! Milhares e milhares de anos passaram ao largo para ele, e eis que temos... Stanley Kowalski... sobrevivente da Idade da Pedra! Trazendo a carne crua para casa quando chega da matança na selva! E você... *você* aqui... *esperando* por ele! Talvez ele bata em você, ou talvez dê uns grunhidos e beije você! Quer dizer, se é que os beijos já foram descobertos! Cai a noite e os outros símios se reúnem! Ali na frente da caverna, todos grunhindo que nem ele, todos uns brutamontes, uns beberrões, uns roedores. A noite do pôquer... é assim que você chama... essa reunião de macacos! Alguém solta um rosnado... alguma criatura arrebanha uma coisinha qualquer... e começou a luta! *Meu Deus!* Talvez nós estejamos todos muito longe de termos sido feitos à imagem e semelhança de Deus, mas, Stella... minha irmã... já houve *algum* progresso desde o tempo dos macacos! Coisas como as artes... poesia e música... toda espécie de novos conhecimentos vieram iluminar este mundo desde então! Em alguns tipos de gente já houve um comecinho de alguns sentimentos de maior ternura. Que nós temos de fazer *crescer*! E temos de nos apegar a eles, e cuidar deles como cuidamos da nossa bandeira nacional! Nessa marcha sombria em direção a seja o que estiver se aproximando... *Não... não fique para trás, não fique com os brutos!*

[*Um outro trem passa lá fora. Stanley vacila, passa a língua pelos lábios. Então de repente ele se vira com todo o cuidado e recua pela porta da frente. As mulheres ainda estão sem saber de sua presença. Quando o trem termina de passar, ele chama através da porta da frente, que está fechada.*]

STANLEY – Oi! Ei, Stella!

STELLA [*que estivera muito séria escutado Blanche*] – Stanley!

BLANCHE – Stell, eu...

[*Mas Stella já foi para a porta da frente. Stanley entra com seus pacotes, como se nada estivesse acontecendo.*]

STANLEY – Oi, Stella. Blanche já voltou?

STELLA – Sim, ela voltou.

STANLEY – Oi, Blanche. [*Sorri para ela.*]

STELLA – Você deve ter se arrastado debaixo do carro.

STANLEY – Aqueles bostas daqueles mecânicos do Fritz não sabem nem onde fica a própria bunda... Ei!

[*Stella enlaçou-o num abraço apertado, feroz, bem à vista de Blanche. Ele ri e agarra e prende a cabeça dela em seu peito. Por cima da cabeça de Stella, ele sorri para Blanche através dos reposteiros.*

[*À medida que as luzes vão escurecendo até apagar, com um brilho duradouro sobre o abraço do casal, ouve-se a música do "piano de* blues*", com trompete e bateria.*]

CENA 5

Blanche está sentada no quarto de dormir abanando-se com uma folha de palmeira enquanto relê uma carta que acabou de escrever. De repente, explode em gargalhadas. Stella está se vestindo, também no quarto de dormir.

STELLA – Do que você está rindo, querida?

BLANCHE – De mim mesma, de mim mesma, por ser tamanha mentirosa! Estou escrevendo uma carta para o Shep. [*Pega a carta.*] "Querido Shep. Estou passando o verão numa corrida só, fazendo visitas-relâmpago aqui e ali. E, quem sabe, talvez eu tenha um impulso repentino de *atacar* Dallas! O que você acha da ideia? Harrá! [*Ri, nervosa e com vivacidade, tocando o pescoço, como se estivesse mesmo conversando com Shep.*] Estou avisando que é para você ficar de sobreaviso, como se diz." ... O que você acha?

STELLA – Arrã...

BLANCHE [*continuando a leitura, nervosa*] – "A maioria dos amigos de minha irmã vai para o norte no verão, mas alguns têm casa no Golfo do México, e está acontecendo uma rodada permanente de festas, chás da tarde, coquetéis e almoços..."

[*Ouvem-se os barulhos de uma briga em cima, no apartamento dos Hubbell.*]

STELLA – Pelo jeito, a Eunice está tendo algum problema com o Steve.

[*A voz de Eunice eleva-se num tom de ódio incontido.*]

Eunice – Me contaram de você com aquela loira!

Steve – Isso é uma mentira deslavada!

Eunice – Você não vai pôr uma venda nos meus olhos, não! Eu não me importo de você ir até o Four Deuces e ficar jogando carta no salão. Mas você sempre dá uma chegadinha no andar de cima, né?

Steve – Quem é que algum dia já me viu no andar de cima?

Eunice – Eu vi você indo atrás dela no avarandado. Vou denunciar você na Delegacia de Costumes.

Steve – Nem pense em jogar isso na minha cara!

Eunice [*esganiçando-se*] – Você me bateu! Vou chamar a polícia!

[*Ouve-se uma barulheira de alumínio sendo jogado contra uma parede, seguida de um rugido masculino, irado, gritos e móveis sendo derrubados. Ouve-se um estrondo; depois, uma relativa calma.*]

Blanche [*com vivacidade na voz*] – Ele a *matou*?

[*Eunice aparece nos degraus, totalmente desarrumada.*]

Stella – Não! Ela está descendo.

Eunice – Vou chamar a polícia, é o que eu vou fazer!

[*Corre e desaparece ao dobrar a esquina.*]

[*Stella e Blanche riem baixinho. Stanley chega dobrando a esquina, usando sua camisa de jogar boliche: verde e vermelha, de seda. Sobe trotando os degraus e dá murros na porta da cozinha. Blanche registra a entrada dele com gestos nervosos.*]

Stanley – Qual é o problema com a Eunice?

Stella – Ela e o Steve tiveram uma briga. Ela foi chamar a polícia?

Stanley – Não, ela foi entornar um trago.

Stella – Bem mais prático.

[*Steve desce, dando atenção a um hematoma que tem na testa, e olha para dentro do apartamento dos Kowalski.*]

Steve – Ela tá aqui?

Stanley – Tá não. Tá no Four Deuces.

Steve – É uma cadela no cio! [*Ele vai dar uma olhada na rua dobrando a esquina, um tanto tímido; então vira-se com coragem fingida e depois sai, correndo atrás de Eunice.*]

Blanche – Preciso escrever essa nas minhas anotações. Ha, ha! Estou compilando num caderno todas as palavras e expressões curiosas que aprendi aqui.

Stanley – Você não vai aprender nada aqui que já não tenha ouvido antes.

Blanche – Será que posso contar com isso?

Stanley – Pode contar até quinhentos.

Blanche – Esse é um número bem grande. [*Ele abre de um supetão uma gaveta da cômoda, bate com a gaveta para fechá-la e atira um par de sapatos num canto. A cada barulho, Blanche tem um leve estremecimento. Por fim, ela fala:*] Você nasceu sob que signo?

Stanley [*enquanto se veste*] – Signo?

Blanche – Do horóscopo. Aposto que você é Áries. As pessoas de Áries são dinâmicas e cheias de energia. Adoram barulho! Adoram bater portas e gavetas e tudo mais. Você deve ter passado por muita bateção no exército e, agora que é reformado, você compensa tratando os objetos inanimados com essa fúria toda!

[*Stella ficou entrando e saindo do* closet *durante esta cena. Agora, ela espicha a cabeça para fora do* closet.]

STELLA – Stanley nasceu cinco minutos depois do Natal.

BLANCHE – Capricórnio... a cabra!

STANLEY – E você? Nasceu em que signo?

BLANCHE – Ah, meu aniversário é no mês que vem, 15 de setembro. Meu signo é Virgem.

STANLEY [*com desdém*] – Rá! [*Avança um pouco enquanto dá o nó na gravata.*] Me diz aí: por um acaso você conhece alguém com o sobrenome Shaw?

[*O rosto de Blanche revela que ela está chocada. Estende a mão para o vidro de perfume e molha seu lenço enquanto responde com cautela.*]

BLANCHE – Ora, todo mundo conhece alguém com o sobrenome Shaw.

STANLEY – Bom, esse alguém com o sobrenome Shaw tem a impressão de que conheceu você em Laurel, mas eu imagino que ele confundiu você com outra pessoa, porque essa outra pessoa é alguém que ele conheceu num hotel chamado Flamingo.

[*Blanche ri com falta de ar enquanto leva o lenço molhado de perfume às têmporas.*]

BLANCHE – Acho que ele me confundiu com essa "outra pessoa". O Hotel Flamingo não é o tipo de lugar onde eu poria os pés. Não ia querer que me vissem ali.

STANLEY – Então você conhece o lugar?

BLANCHE – Sim. Já vi o hotel e já senti o cheiro dele.

Stanley – Então você chegou bem perto, se pôde sentir o cheiro do lugar.

Blanche – Perfume barato tem um odor penetrante.

Stanley – Esse troço que você usa então é caro?

Blanche – Vinte e cinco dólares por um vidrinho de trinta mililitros. Está quase no fim. Já fica aqui uma indireta, se vocês quiserem se lembrar do meu aniversário. [*Ela fala de modo casual, mas tem na voz um quê de medo.*]

Stanley – O Shaw deve ter confundido você com alguém. Ele vai seguido a Laurel, de modo que ele pode averiguar e esclarecer o erro.

[*Ele se vira e passa pelos reposteiros em direção à cozinha. Blanche fecha os olhos como quem vai desmaiar de tão fraca. Sua mão está tremendo quando ela leva de novo o lenço à testa.*]

[*Steve e Eunice vêm chegando, dobrando a esquina. O braço de Steve está apoiados nos ombros de Eunice, e ela está chorando copiosamente, aos soluços, e ele está lhe sussurrando palavras de amor. Ouve-se o murmúrio de uma trovoada ao longe quando eles sobem lentamente até o apartamento de cima enlaçados um no outro, bem agarradinhos.*]

Stanley [*dirigindo-se a Stella*] – Vou esperar por você no Four Deuces!

Stella – Ei! Eu não ganho um beijo?

Stanley – Não na frente da sua irmã.

[*Ele sai. Blanche levanta-se da cadeira. Parece fraca, debilitada. Olha ao seu redor com uma expressão que beira o pânico.*]

BLANCHE – Stella! O que você ouviu falar de mim?

STELLA – Hã?

BLANCHE – O que as pessoas estão dizendo de mim?

STELLA – Dizendo?

BLANCHE – Você não ouviu nenhuma... fofoca... maldosa... sobre mim?

STELLA – Ora, não, Blanche, é claro que não!

BLANCHE – Querida, teve... muita falação em Laurel.

STELLA – Sobre *você*, Blanche?

BLANCHE – Eu não fui boa moça nestes últimos dois anos, mais ou menos, depois que Belle Reve começou a escapar de mim, escorregando pelos meus dedos.

STELLA – Todos nós fazemos coisas que...

BLANCHE – Eu nunca fui durona, nem consegui ser independente. Quando as pessoas são suaves... pessoas suaves têm de brilhar e cintilar... têm de criar para si cores suaves, cores de asas de borboleta, e têm de colocar... lanternas chinesas de papel cobrindo as lâmpadas... Não basta ser suave. Você tem de ser suave *e atraente*. E eu... eu agora estou murchando! Não sei quanto tempo mais vou conseguir fazer este número. [*A tarde está terminando num lusco-fusco. Stella entra no quarto e acende a luz da lanterna chinesa. Está segurando uma garrafa de refrigerante na mão.*] Você prestou atenção no que eu disse?

STELLA – Eu não fico prestando atenção em você quando está sendo mórbida! [*Aproxima-se com a garrafa de coca-cola.*]

BLANCHE [*com uma mudança abrupta, fazendo-se alegre*] – Essa Coca é para mim?

Stella – Todinha para você.

Blanche – Ora, meu coração! É só Coca-cola?

Stella [*virando-se*] – Quer dizer que você quer batizar o refrigerante?

Blanche – Bom, querida, não é um pouco de álcool que vai estragar a Coca-cola! Deixe que eu mesma faço. Você não precisa ficar fazendo coisas para mim.

Stella – Eu gosto de fazer coisas para você, Blanche. Faz tudo ficar mais parecido com a nossa casa. [*Vai até a cozinha, procura um copo e nele serve uma dose de uísque.*]

Blanche – Tenho de admitir que adoro quando fazem coisas para mim... [*Ela corre para o quarto. Stella vai até ela com o copo. Blanche de repente agarra a mão livre de Stella com um gemido e aperta a mão da irmã contra os lábios. Stella fica constrangida com aquela demonstração de afeto. Blanche fala com voz embargada:*] Você é... você é... tão *boa* comigo! E eu...

Stella – Blanche.

Blanche – Eu sei, não vou fazer isso. Você detesta quando fico sentimental. Mas, querida, *acredite*: eu sinto muito mais coisas do que *conto* para você. Eu *não* vou ficar por muito tempo! Não vou mesmo, eu *prometo* que vou...

Stella – Blanche.

Blanche [*histérica*] – Não vou mesmo, eu prometo que vou *embora. Logo, logo*. Vou *mesmo*. *Não* vou ficar por aqui até que ele... me enxote porta afora...

Stella – Você quer parar de falar besteira?

Blanche – Sim, querida. Cuidado agora como você vai servir... esse negócio gasoso faz espuma que transborda do copo.

[*Blanche ri um riso estridente e pega o copo, mas a mão treme tanto que ela quase deixa cair o copo. Stella serve a Coca-cola no copo. A Coca faz espuma e vem por cima. Blanche dá um grito agudíssimo.*]

Stella [*assustada com o grito de Blanche*] – Minha nossa!

Blanche – Bem na minha saia branca, tão bonita!

Stella – Ah, use o meu lenço. Só põe em cima e aperta, não esfrega. Com delicadeza.

Blanche – Eu sei... com delicadeza... com delicadeza...

Stella – Manchou?

Blanche – Nem um pouquinho. Ha, ha! Foi muita sorte, não é? [*Senta-se, desconcertada, tomando um gole agradecido. Segura o copo com as duas mãos e continua rindo mais um pouco.*]

Stella – Por que você deu um grito daquele jeito?

Blanche – Não sei por que eu gritei! [*Continua falando, nervosa.*] O Mitch... o Mitch vai chegar às sete. Acho que estou nervosa com essa amizade. [*Começa a falar rápido e com falta de ar.*] Ele não ganhou mais que um beijo de boa noite, isso foi tudo que eu dei a ele, Stella. Quero ter o respeito dele. E os homens não querem nada que eles conseguem fácil. Ainda mais quando a moça tem mais de... trinta. Acham que uma moça com mais de trinta tem de... e o termo vulgar é este... tem de "dar pra eles"... E eu... eu não estou "dando" pra ninguém. Claro que ele... ele não sabe... quer dizer, eu não contei para ele... a minha idade.

Stella – Por que a sua idade é um assunto tão delicado?

Blanche – Por causa dos golpes duros que a minha vaidade andou recebendo. O que estou dizendo é que...

ele acha que eu sou moralista e corretíssima, você sabe. [*Ri uma gargalhada áspera.*] E eu quero que ele continue *enganado* comigo só o tempo suficiente para que ele... me deseje...

STELLA – Blanche, a pergunta é se *você* quer ele.

BLANCHE – Eu quero *descansar*! Quero respirar sossegada de novo! Sim... eu *quero* Mitch... *muito mesmo*. Pense só! Se acontecer! Posso me mudar daqui e deixo de ser um problema para todos...

[*Stanley aparece dobrando a esquina com uma bebida presa ao cinto da calça.*]

STANLEY [*aos gritos*] – Ei, Steve! Ei, Eunice! Ei, Stella!

[*Do apartamento de cima, gritos animados em resposta. Ouvem-se o trompete e a bateria de um lugar logo ali, virando a esquina.*]

STELLA [*beijando Blanche num gesto impulsivo*] – Vai acontecer!

BLANCHE [*duvidando*] – Vai?

STELLA – *Vai!* [*Stella vai até a cozinha, olhando para trás, para Blanche*] Vai acontecer, querida, vai sim... Mas agora pare de beber. Nem mais um gole! [*Sua voz fica embargada quando ela sai pela porta da frente para ir ao encontro do marido.*]

[*Blanche deixa-se cair, fraca, na cadeira, seu drinque na mão. Eunice, em risadas esganiçadas, desce as escadas correndo. Steve joga-se escada abaixo atrás dela, guinchando como um bode, e vai no encalço de Eunice, que já dobrou a esquina. Stanley e Stella seguem os dois, rindo, de braços dados.*

[*O lusco-fusco vai virando noite. A música do Four Deuces é lenta e melancólica.*]

BLANCHE – Ai de mim, ai de mim, ai de mim...

[*Seus olhos se fecham, e o leque de folha de palmeira cai de sua mão. Ela dá um tapa no braço da cadeira umas duas vezes. Pode-se ver o clarão de relâmpagos ao longe, visível ao redor do prédio.*]

[*Um Rapaz vem andando pela rua e bate na campainha do apartamento de baixo.*]

BLANCHE – Pode entrar. [*O Rapaz aparece nos reposteiros. Ela o observa com interesse.*] Muito bem! No que posso lhe ser útil?

RAPAZ – Eu sou o cobrador do *Estrela Vespertina*.

BLANCHE – Eu não sabia que as estrelas estavam cobrando agora.

RAPAZ – É o jornal.

BLANCHE – Eu sei, eu só estava fazendo uma piada... ruinzinha! Você quer... um drinque?

RAPAZ – Não, madame. Não, obrigado. Não posso beber no trabalho.

BLANCHE – Ah, bom, agora, vamos ver... Não, eu não tenho nem dez centavos! Eu não sou a dona da casa. Sou a irmã dela, do Mississippi. Sou um daqueles parentes pobres de que você já ouviu falar.

RAPAZ – Tá bem, não tem problema. Eu volto mais tarde. [*Ele vai saindo. Ela se aproxima um pouco.*]

BLANCHE – Ei! [*Ele se vira, tímido. Ela coloca um cigarro numa longa piteira.*] Tem fogo? [*Vai até ele, e os dois se encontram na porta entre os dois cômodos da casa.*]

RAPAZ – Claro. [*Tira um isqueiro do bolso.*] Não é sempre que funciona.

Blanche – É temperamental? [*O isqueiro acende.*] Ah!... obrigada. [*Ele vai saindo de novo.*] Ei! [*Ele se vira de novo, ainda mais vacilante. Ela chega perto dele.*] Hã... que horas são?

Rapaz – Quinze para as sete, madame.

Blanche – Tão tarde assim? Você não adora essas tardes compridas de chuva em New Orleans? Quando uma hora não é só uma hora... mas um pedacinho da eternidade que caiu na sua mão... e quem sabe o que fazer com isso? [*Ela toca no ombro dele.*] Você... hã... não se molhou na chuva?

Rapaz – Não, madame. Eu entrei num lugar.

Blanche – Uma lanchonete? E tomou um refrigerante com sorvete dentro?

Rapaz – Arrã.

Blanche – Chocolate?

Rapaz – Não, madame. Cereja.

Blanche [*rindo*] – Cereja!

Rapaz – Refrigerante com sorvete de cereja dentro.

Blanche – Você faz minha boca salivar. [*Ela toca a bochecha dele de leve e sorri. Então vai até a mala-armário.*]

Rapaz – Bom, é melhor eu ir andando...

Blanche [*impedindo que ele se vá*] – Rapaz!

[*Ele se vira. Ela pega da mala uma echarpe grande, de um tecido fino, transparente, diáfano. Leva a echarpe aos ombros, como uma estola.*

[*Na pausa seguinte, ouve-se o "piano de blues". A música continua pelo resto da cena, invadindo o começo da próxima cena. O rapaz pigarreia, limpando a garganta, e olha ansioso para a porta.*]

BLANCHE – Rapaz! Meu rapaz, meu rapaz! Alguém já lhe disse que você se parece com um jovem príncipe das Mil e Uma Noites da Arábia? [*O Rapaz ri sem graça e fica ali, parado, como uma criança tímida. Blanche conversa com ele com máxima suavidade.*] Bem, você parece, meu querido, meu carneirinho. Vem cá. Quero te dar um beijo, só um, macio, e suave, e doce, na boca! [*Sem esperar que ele aceite, ela vai rapidamente até o Rapaz e aperta seus lábios contra os dele.*] Agora vá embora, vá, depressa. Seria bom ficar com você aqui, mas eu preciso me comportar... e não posso encostar a mão numa criança.

[*Ele olha fixo para ela por um momento. Ela abre a porta para ele e lhe atira um beijo quando ele desce os degraus com um olhar aturdido. Ela fica ali, parada, de pé, um tanto sonhadora, depois que o Rapaz saiu de vista. Então Mitch aparece dobrando a esquina, com um buquê de rosas.*]

BLANCHE [*feliz da vida*] – Mas olhe só quem vem chegando! O meu *Rosenkavalier*[3]! Primeiro, uma reverência diante de mim... agora sim, você as entrega para mim! *Ahhhh... Merciiii!*

[*Olha para ele por cima das rosas, levando-as aos lábios de um modo afetado. Ele sorri para ela, tímido.*]

---

3. Referência à ópera *Der Rosenkavalier*, de Richard Strauss. O personagem Rosenkavalier (cavaleiro da rosa) é encarregado de levar uma rosa branca à noiva de um amigo, mas acaba apaixonando-se por ela. (N.E.)

CENA 6

É perto de duas da madrugada, naquela mesma noite. A parede externa do prédio está visível. Blanche e Mitch chegam. A completa exaustão que apenas as personalidades neurastênicas conhecem evidencia-se na voz e nos gestos de Blanche. Mitch parece imperturbável, mas deprimido. Eles provavelmente foram ao parque de diversões à beira do lago Pontchartrain, pois Mitch tem nas mãos, de cabeça para baixo, um estatueta de gesso de Mae West, o tipo de prêmio que se ganha nas barraquinhas de tiro ao alvo e em algumas outras brincadeiras de parques de diversões.

BLANCHE [*parando totalmente sem graça e desanimada nos degraus que levam ao apartamento de baixo*] – Bom... [*Mitch ri, sem graça.*] Bom...

MITCH – Acho que já está tarde... e você está cansada.

BLANCHE – Até o homem dos tamales apimentados já foi embora, e ele fica até não ter mais movimento. [*Mitch ri sem graça de novo.*] Como é que você vai voltar para casa?

MITCH – Vou caminhando até a Bourbon e pego um bonde noturno.

BLANCHE [*rindo de modo sinistro*] – E aquele bonde chamado Desejo, ainda anda chacoalhando nos trilhos a esta hora?

MITCH [*a voz abatida*] – Acho que você não se divertiu muito esta noite, Blanche.

BLANCHE – Estraguei a noite para você.

Mitch – Não, não estragou, mas eu fiquei o tempo todo sentindo que eu não estava conseguindo fazer com que você... se divertisse.

Blanche – Eu é que não consegui corresponder ao entusiasmo da coisa. Só isso. Acho que nunca fiz tanta força para me sentir alegre, e daí estraguei tudo mesmo. Bom, pelo menos ganho dez pontos por ter tentado!... Eu tentei. De verdade.

Mitch – Por que se esforçou tanto se não estava com vontade, Blanche?

Blanche – Eu só estava obedecendo a uma lei da natureza.

Mitch – Que lei é essa?

Blanche – Aquela que diz que a dama sempre deve distrair o cavalheiro ou... nada feito! Veja se você consegue achar a minha chave na bolsa. Quando estou cansada como agora, os meus dedos não me obedecem.

Mitch [*revirando a bolsa*] – Esta aqui?

Blanche – Não, querido, essa é a chave da minha mala-armário, que por sinal eu vou ter de fazer logo, logo.

Mitch – Quer dizer que você vai embora daqui logo, logo?

Blanche – Já fiquei mais tempo do que devia.

Mitch – É esta?

[*A música vai morrendo ao longe.*]

Blanche – Finalmente! Querido, você pode abrir a porta, enquanto eu dou uma última olhada no céu. [*Ela se apoia na balaustrada do patamar. Ele abre a porta e fica atrás dela, de pé, parado, sem saber o que fazer.*] Estou procurando as Plêiades, as Sete Irmãs, mas essas moças não estão no céu hoje. Ah, sim, estão, lá estão elas! Que Deus as abençoe. Todas juntas em grupo indo para casa, saindo do seu joguinho de *bridge*... Você abriu a porta? Bom rapaz! Acho que você... está querendo ir embora...

[*Ele se agita e tosse um pouco.*]

MITCH – Posso... hã... te beijar... hoje?

BLANCHE – Por que você sempre me pede licença para me beijar?

MITCH – Porque eu nunca sei se você quer ou não.

BLANCHE – Mas por que tanta dúvida?

MITCH – Naquela noite que a gente estacionou o carro na beira do lago e eu te beijei, você...

BLANCHE – Querido, não foi o beijo que eu não quis. Eu gostei muito do beijo. Foi aquela outra... intimidade... que eu me senti obrigada a... desencorajar... Mas eu não me ofendi... nem um pouquinho. Mesmo. Na verdade, eu até me senti lisonjeada de ter você... me desejando! Mas, querido, você sabe tão bem quanto eu que uma moça solteira, um moça sozinha no mundo, precisa ter o firme controle de suas emoções, senão ela está perdida!

MITCH [*em tom solene*] – Perdida?

BLANCHE – Pelo jeito você está acostumado com moças que gostam de se perder. Do tipo que se perde logo de início, no primeiro encontro.

MITCH – Eu quero que você seja exatamente do jeito que você é, porque em toda a minha... experiência... eu nunca conheci ninguém como você.

[*Blanche olha para ele, muito séria. Então cai na gargalhada, e depois dá um tapa na própria boca.*]

Mitch – Você está rindo de mim?

Blanche – Não, querido. O lorde e a madame da casa ainda não voltaram, então entre comigo. Vamos tomar a saideira. Vamos deixar as luzes apagadas. Combinado?

Mitch – Você... faça o que tiver vontade.

[*Blanche entra na frente, e os dois estão na cozinha. A parede externa do prédio desaparece, e o interior dos dois cômodos pode ser visto na penumbra.*]

Blanche [*permanecendo no primeiro cômodo*] – No quarto é mais confortável... vá para lá. Estes barulhos no escuro querem dizer que estou procurando por uma bebida.

Mitch – Você quer uma bebida?

Blanche – Eu quero que *você* tome alguma coisa! Você esteve tão ansioso e solene a noite toda, e eu também. Nós ficamos os dois ansiosos e solenes e agora, nestes últimos momentos que nos sobram de nossas vidas compartilhadas... eu quero criar... *joie de vivre*! Vou acender uma vela.

Mitch – Isso é bom.

Blanche – Vamos ser bem boêmios. Vamos fazer de conta que estamos sentados num café frequentado por artistas, à margem esquerda do Sena, em Paris! [*Acende um toco de vela e faz de uma garrafa castiçal.*] *Je suis la Dame aux Camellias! Vous êtes... Armand!*[4] Entende francês?

Mitch [*com a voz abatida*] – Não. Não, eu...

---

4. "Eu sou a Dama das Camélias! Você é Armand!" Referência ao romance de Alexandre Dumas, filho (1824-1895). Publicado em 1848, foi adaptado para palco e cinema (doze filmes entre 1906 e 1980). Armand é apaixonado por Margarida, a Dama das Camélias. (N.T.)

Blanche – *Voulez-vous couchez avec moi ce soir? Vous ne comprenez pas? Ah, quelle dommage!*[5]... Quero dizer, é uma coisa muito boa... Encontrei uma bebida! O suficiente para duas doses, sem dividendos, querido...

Mitch [*com a voz abatida*] – Isso é... bom.

[*Ela entra no quarto com os drinques e a vela.*]

Blanche – Sente-se! Por que não tira o casaco e afrouxa o colarinho?

Mitch – Prefiro ficar de casaco.

Blanche – Não. Quero que você fique bem à vontade.

Mitch – Eu fico com vergonha de tanto que eu suo. Minha camisa já está grudando no corpo.

Blanche – Suar é saudável. Se as pessoas não suassem, morreriam em cinco minutos. [*Tira o casaco dele.*] É um paletó muito bonito. Que tecido é este?

Mitch – Chamam isso de alpaca.

Blanche – Ah! Alpaca.

Mitch – É uma alpaca muito leve, bem fininha.

Blanche – Ah, muito leve, bem fininha.

Mitch – Eu não gosto de usar impermeável nem no verão, porque eu suo demais.

Blanche – Ah.

Mitch – E não fica bem em mim. Um cara alto e grandalhão tem que ter cuidado no que usa, que é pra não ficar parecendo desengonçado.

Blanche – Você não é grandalhão.

---

5. "Quer ir para a cama comigo hoje? Você não entendeu? Ah, que pena!" Em francês, no original. (N.T.)

Mitch – Você acha que não?

Blanche – Você não é do tipo delicado. Você tem uma estrutura óssea compacta e um físico bem imponente.

Mitch – Obrigado. No Natal passado, ganhei um título de sócio do Clube Atlético de New Orleans.

Blanche – Que bom.

Mitch – Melhor presente que já ganhei. Vou lá para me exercitar com pesos e também faço natação e fico em forma. Quando eu comecei, tava ficando com uma barriguinha mole, mas agora o meu abdômen tá bem duro. Agora tá tão duro que podem me dar um soco na barriga que eu não sinto nada. Me dê um soco! Vamos lá! Viu? [*Ela bate nele de leve.*]

Blanche – Meu Deus! [*Leva a mão ao próprio peito.*]

Mitch – Adivinhe quanto eu peso, Blanche.

Blanche – Ah, eu diria que aproximadamente... uns oitenta quilos?

Mitch – Mais uma chance.

Blanche – Menos de oitenta?

Mitch – Não. Mais.

Blanche – Bom, você é um homem alto e pode carregar um bocado de peso sem ficar parecendo todo desajeitado.

Mitch – Eu peso 94 quilos e tenho 1 metro e 84 descalço... quando tiro o sapato. E 94 é o que eu peso sem roupa.

Blanche – Minha nossa! É algo que inspira respeito.

Mitch [*constrangido*] – Quanto eu peso não é um assunto interessante de se conversar. [*Ele vacila por um instante.*] E você?

Blanche – Quanto eu peso?

Mitch – Sim.

Blanche – Adivinhe.

Mitch – Deixe eu ver; vou levantar você.

Blanche – Meu Sansão! Vamos lá, me levante. [*Ele chega por trás dela e coloca as mãos na cintura de Blanche e a levanta do chão com facilidade.*] Que tal?

Mitch – Você tem o peso de uma pluma.

Blanche – Ha, ha! [*Ele a põe no chão, mas não tira as mãos da cintura dela. Blanche fala fingindo um recato pudico.*] Você pode me soltar agora.

Mitch – Hã?

Blanche [*alegre*] – Eu disse que pode tirar as mãos de mim, *sir*. [*Ele se atrapalha todo para abraçá-la. A voz dela tem um tom de censura e gentileza.*] Ora, vamos, Mitch. Só porque o Stanley e a Stella não estão em casa isso não é motivo para você não se comportar como um cavalheiro.

Mitch – É só me dar um tapa na cara quando eu passar dos limites.

Blanche – Isso não vai ser necessário. Você é um cavalheiro por natureza, um dos raros que ainda restam neste mundo. Não quero que você pense que sou cheia de escrúpulos e me comporto como uma professora velha e solteirona, nem nada parecido. É só que... bom...

Mitch – Hã?

Blanche – Acho que é só que eu tenho... ideais antiquados!

[*Revira os olhos, sabendo que ele não tem como ver o seu rosto. Mitch vai até a porta da frente. Faz-se um silêncio considerável entre os dois. Blanche suspira, e Mitch tosse, constrangido.*]

Mitch [*por fim*] – Onde é que estão o Stanley e a Stella esta noite?

Blanche – Saíram. Com os Hubbell, o casal do apartamento de cima.

Mitch – Onde é que foram?

Blanche – Acho que estavam planejando ir a uma pré-estreia de cinema, à meia-noite, no Loew's State.

Mitch – A gente devia sair os seis juntos uma noite dessas.

Blanche – Não. Não é uma boa ideia.

Mitch – Por que não?

Blanche – Você e Stanley são amigos faz tempo?

Mitch – A gente serviu junto no exército: Regimento 241.

Blanche – Imagino que ele converse com você com muita franqueza.

Mitch – Claro.

Blanche – Ele falou com você sobre mim?

Mitch – Ah... não muito.

Blanche – Do jeito que você respondeu, imagino que ele falou muito, sim.

Mitch – Não, ele não disse quase nada.

Blanche – Mas do que ele *disse*: você diria que a atitude dele em relação a mim é positiva ou negativa?

Mitch – Por que você quer saber isso?

Blanche – Bem...

Mitch – Você não se dá bem com ele?

Blanche – O que você acha?

Mitch – Acho que ele não entende você.

Blanche – Isso é colocar as coisas de um modo afável. Se não fosse agora a Stella estar perto de ter o neném, eu não seria capaz de aguentar as coisas aqui.

Mitch – Ele não é... simpático com você?

Blanche – Ele é insuportavelmente grosseiro. Faz questão de me ofender.

Mitch – Ofender como, Blanche?

Blanche – Ora, de todas os modos imagináveis.

Mitch – Estou surpreso de ouvir isso.

Blanche – Surpreso, é?

Mitch – Bom, eu... não vejo como alguém poderia ser grosseiro com você.

Blanche – Na verdade, é uma situação bem apavorante. Você sabe, não se tem privacidade aqui. Tem só aquelas cortinas dividindo os dois cômodos de noite. Ele passa de um para o outro, de noite, só de cueca. E eu preciso estar sempre pedindo que ele feche a porta do banheiro. Esse tipo de vulgaridade é totalmente desnecessária. Você com certeza fica se perguntando por que eu não me mudo daqui. Bem, eu vou lhe dizer com toda a franqueza. Um salário de professora mal dá para pagar as contas. Não economizei nem um centavo no ano passado, e então precisei vir para cá passar o verão. Por isso é que eu tenho de tolerar conviver com o marido da minha irmã. E ele tem de tolerar conviver comigo, parece que totalmente contra a vontade dele... Claro que ele deve ter falado para você como ele me detesta!

Mitch – Eu não acho que ele detesta você.

BLANCHE – Ele me odeia. Se não, por que me ofender? Da primeira vez que botei os olhos nele, pensei comigo mesma: esse homem é um carrasco! Esse homem vai me arruinar, a menos que...

MITCH – Blanche...

BLANCHE – Sim, querido?

MITCH – Posso fazer uma pergunta?

BLANCHE – Sim. O que é?

MITCH – Quantos anos você tem?

[*Ela faz um gesto nervoso.*]

BLANCHE – Por que você quer saber?

MITCH – Conversei com a minha mãe sobre você, e ela disse: "Quantos anos tem a Blanche?", e eu não sabia responder. [*Faz-se mais uma pausa.*]

BLANCHE – Você conversou com a sua mãe sobre mim?

MITCH – Sim.

BLANCHE – Por quê?

MITCH – Eu disse pra minha mãe que você é simpática e que eu gosto de você.

BLANCHE – E você estava falando a verdade?

MITCH – Você sabe que sim.

BLANCHE – Por que a sua mãe quis saber a minha idade?

MITCH – A minha mãe está doente.

BLANCHE – Que pena. Alguma doença grave?

MITCH – Ela não tem muito tempo pela frente. Talvez só mais alguns meses.

BLANCHE – Ah.

MITCH – Ela se preocupa, porque eu ainda não casei.

Blanche – Ah.

Mitch – Ela quer me ver casado antes de... [*A voz dele está rouca, e ele pigarreia duas vezes para limpar a garganta, enquanto, com gestos nervosos, tira e põe, tira e põe as mãos nos bolsos.*]

Blanche – Você tem muito amor pela sua mãe, não é?

Mitch – Sim.

Blanche – Acho que você tem uma enorme capacidade para a devoção, para se dedicar aos outros. Você vai se sentir sozinho quando ela se for, não é? [*Mitch pigarreia, limpando a garganta, e faz que sim com a cabeça.*] Eu entendo bem o que significa isso.

Mitch – Se sentir sozinho?

Blanche – Eu também tive muito amor por alguém, e perdi essa pessoa que eu amava tanto.

Mitch – Morreu? [*Ela vai até a janela e senta na parapeito, olhando para a rua. Serve-se de mais um drinque.*] Um homem?

Blanche – Era um rapazinho, um menino ainda, quando eu era uma garotinha. Quando eu tinha dezesseis anos, fiz a grande descoberta... o amor. De repente, como um raio, e de um modo muito, muito completo, inteiro. Foi assim como acender um holofote em cima de alguma coisa que sempre esteve na sombra; foi assim que o amor atingiu o meu mundo, de um golpe só. Mas eu não tive sorte. Fui iludida. Tinha alguma coisa de diferente naquele rapaz, um nervosismo, uma suavidade e uma ternura que não eram típicos de um homem, apesar de que ele não tinha a aparência nem um pouco afeminada... mas... ainda assim... aquela coisa diferente estava lá... Ele me procurou em busca de ajuda. E eu não sabia. Não descobri nada, nem mesmo depois que nós nos casamos, quando fugimos para nos casar às escondidas e voltamos, e tudo o que eu sabia era que eu havia fracassado: de algum modo misterioso, eu não tinha conseguido ajudar, eu era incapaz de dar a ele a ajuda de que ele precisava em resposta a um pedido de socorro que ele não conseguia formular. Ele estava afundando em areias movediças e se agarrando em mim... mas eu não estava puxando ele para fora, eu estava era afundando junto com ele! Mas eu não sabia. Eu não sabia de nada, a não ser que eu o amava sem limites, mas sem ser capaz de ajudar nem a ele nem a mim mesma. Então eu descobri. Da pior maneira possível. Entrando de repente num quarto que eu pensei que estivesse vazio... mas que não estava vazio. Tinha duas pessoas ali... o rapaz que era o meu marido e um homem mais velho, amigo dele de muito tempo...

[*Ouve-se o som de uma locomotiva se aproximando. Ela tapa os ouvidos com as mãos e se agacha, encolhida, de cócoras. O farol da locomotiva ilumina o quarto de passagem, enquanto o trem passa trovejando. À medida que o barulho vai diminuindo, ela se põe de pé lentamente, mais uma vez ereta, e continua falando.*]

Depois daquilo, nós fingimos que nada tinha acontecido. Sim, nós três fomos de carro até o Cassino Moon Lake, muito bêbados, rindo sem parar.

[*Ouve-se o som de uma polca, as notas em tonalidade maior, um som que chega baixinho, ao longe.*]

Dançamos a polca varsoviana! De repente, no meio da dança, o rapaz com quem eu tinha casado me largou ali, no meio do salão, e correu para fora do cassino. Uns instantes depois... um tiro!

[*A polca para abruptamente. Blanche levanta-se, o corpo rígido. Então, ouve-se a polca mais uma vez, as notas em tonalidade menor.*]

Eu corri para fora... todos correram para fora! ...todos correram e se aglomeraram em volta do horror à beira do lago. Eu não conseguia chegar perto, por causa da multidão. Então alguém segurou o meu braço. "Não chegue mais perto! Dê a volta! Você não vai querer ver!" Ver? Mas ver o quê? Então ouvi vozes dizendo... Allan! Allan! O menino da família Grey! Ele tinha enfiado o revólver dentro da boca e tinha apertado o gatilho... e a parte de trás da cabeça dele tinha... voado longe!

[*Ela balança o corpo e cobre o rosto com as mãos.*]

E foi porque... na pista de dança... incapaz de calar a boca... eu disse, de repente... "Eu vi! Eu sei! Você me dá nojo..." E então o holofote que se tinha acendido para iluminar o mundo se apagou de novo e nunca mais, desde aquele dia, em momento algum, houve outra luz que fosse mais forte que essa... ali na cozinha... vela...

[*Mitch levanta-se, desajeitado, e aproxima-se um pouco dela. O som da polca aumenta de volume. Mitch para ao lado de Blanche.*]

MITCH [*puxando-a devagarinho para os seus braços*] – Você precisa de alguém. E eu também, preciso de alguém. Não podia ser... você e eu, Blanche?

[*Ela olha fixo para ele, por um momento, com um olhar vago. Então, com um gritinho suave, ela se encolhe no abraço dele. Ela faz um esforço para falar, mas os soluços obstruem as palavras. Ele lhe beija a testa e as pálpebras e, por fim, os lábios. O som da polca vai desaparecendo aos poucos. A respiração dela se prende e se solta em longos e agradecidos soluços.*]

BLANCHE – Às vezes... Deus existe... tão rápido!

CENA 7

Um fim de tarde no meio de setembro.

Os reposteiros estão abertos, e uma mesa está posta para um jantar de aniversário, com bolo e flores.

Stella está dando os toques finais à decoração quando entra Stanley.

STANLEY – Pra que essa coisarada toda?

STELLA – Querido, é o aniversário da Blanche.

STANLEY – Ela tá aí?

STELLA – No banheiro.

STANLEY [*arremedando*] – "Lavando umas pecinhas"?

STELLA – Imagino que sim.

STANLEY – Faz quanto tempo que ela tá lá?

STELLA – Toda a tarde.

STANLEY [*arremedando*] – "Relaxando num banho quente"?

STELLA – Sim.

STANLEY – Temperatura de quarenta graus à sombra, e ela escolhe relaxar num banho quente.

STELLA – Ela diz que assim fica refrescada para a noite.

STANLEY – E você sai pra rua pra buscar refrigerantes pra ela, imagino eu! E serve Sua Majestade na banheira? [*Stella dá de ombros.*] Vem sentar aqui um minuto.

STELLA – Stanley, eu tenho coisas a fazer.

STANLEY – Sente-se! Me passaram a "ficha" da sua irmã, Stella.

STELLA – Stanley, pare de implicar com a Blanche.

STANLEY – Ela é quem me chama de comum e simplório.

STELLA – Nestes últimos tempos você tem feito de tudo para contrariá-la, Stanley, e a Blanche é sensível, e você tem de entender que a Blanche e eu fomos criadas em circunstâncias muito diferentes das suas.

STANLEY – É o que vocês me dizem. E me dizem e me dizem e me dizem! E você sabe que ela anda contando pra nós uma montanha de mentiras?

STELLA – Não, não sei, e...

STANLEY – Pois é. E, no entanto, é o que ela anda fazendo. Mas agora vamos pôr tudo em pratos limpos! Porque eu andei descobrindo umas coisas!

STELLA – Que... coisas?

STANLEY – Coisas que eu já desconfiava. Mas agora eu tenho provas, e de fontes seguras... e que eu mesmo verifiquei!

[*Blanche está cantando no banheiro uma balada bastante conhecida, bem açucarada, que faz contraponto com o discurso de Stanley.*]

STELLA [*dirigindo-se a Stanley*] – Baixe a voz!

STANLEY – Um canarinho e tanto, hein?

STELLA – Agora por favor me conte em voz baixa o que você pensa que descobriu sobre a minha irmã.

STANLEY – Mentira Número Um: todo esse ar recatado que ela fica por aí se fazendo! Você devia ver as besteiras que ela anda inventando pro Mitch. Ele pensava que ela nunca tinha sido beijada por mais de um cara! Mas a sua maninha Blanche não é flor que se cheire! Ha, ha! Você não sabe a flor podre que ela é!

STELLA – O que andaram lhe contando, e quem foi que contou?

STANLEY – O nosso fornecedor lá da fábrica vai regularmente a Laurel, e isso já faz anos, e ele sabe tudo sobre ela e todo mundo na cidade de Laurel sabe tudo sobre ela. É famosa em Laurel como se fosse o presidente dos Estados Unidos, só que não é respeitada por ninguém! Esse fornecedor fica num hotel chamado Flamingo.

BLANCHE [*cantando com alegria*] –

> "Uma lua de papel navegando
> Num mar azul de papelão
> Mas não seria faz de conta
> Se acreditasses no teu coração!"

STELLA – E o que tem o... Flamingo?

STANLEY – Ela também se hospedava lá.

STELLA – A minha irmã morava em Belle Reve.

STANLEY – Isso foi depois que a casa de vocês escorregou por aqueles dedinhos de flor. Ela se mudou para o Flamingo! Um hotelzinho de quinta categoria, que tem a vantagem de não interferir na vida social particular das personalidades que ficam ali. O Flamingo é usado pra todo tipo de negócio. Mas até mesmo a administração do Flamingo ficou impressionada com *Lady* Blanche! Na verdade, ficaram tão impressionados com *Lady* Blanche que pediram que ela se retirasse do hotel... em caráter permanente. Isso aconteceu duas semanas antes dela aparecer aqui.

BLANCHE [*cantando*] –

> "Mundo circense: picadeiro e lona
> Tudo é mentira, meu João

Mas não seria faz de conta
Se acreditasses no teu coração!"

STELLA – Que... desprezível... mentira!

STANLEY – Claro, eu entendo como você vai ficar aborrecida com isso. Ela pôs uma venda nos seus olhos, igual como fez com o Mitch!

STELLA – É pura invenção! Não tem um ai de verdade nisso aí, e se eu fosse homem e essa criatura se atrevesse a inventar essas coisas na minha presença...

BLANCHE [*cantando*] –

"Sem o teu amor
Tudo é *show* barato de cabaré
Sem o teu amor
Tudo é *show* barato de cabaré!"

STANLEY – Querida, eu te disse que verifiquei essa história. Nos detalhes! Agora deixe eu terminar de contar. O problema da *Lady* Blanche é que ela não podia mais se fingir de *lady* em Laurel! Eles abriam o olho depois de dois ou três encontros com ela e então largavam ela de mão, e ela então partia pra outro cara, com a mesma história, o mesmo fingimento, as mesmas besteiras! Mas a cidade era pequena demais pra isso dar certo pra sempre! E o tempo foi passando e ela ficou sendo uma figura folclórica da cidade. E passou a ser vista não só como diferente, mas como doida mesmo... louca, de verdade, doida varrida. [*Stella recua.*] E, neste último ano ou dois, tentaram se livrar dela como quem quer se livrar de um veneno. Por isso que ela tá aqui este verão, visita de sangue azul, representando esse papel... porque ela foi praticamente expulsa da cidade, quase como se o prefeito tivesse pedido pra ela ir embora! E tem mais: você sabia que tinha um acampamento militar perto de Laurel e que a casa da sua irmã era um desses lugares que eles chamam de "fora do perímetro"?

BLANCHE —

> "Uma lua de papel navegando
> Num mar azul de papelão
> Mas não seria faz de conta
> Se acreditasses no teu coração!"

STANLEY — Bom, isso tudo para uma mulher tão refinada e interessante. O que nos traz à Mentira Número Dois.

STELLA — Eu não quero ouvir mais nada.

STANLEY — Ela não vai voltar pro seu cargo de professora! A bem da verdade, tô disposto a apostar com você que ela não tem a menor intenção de voltar pra Laurel! Ela não se demitiu temporariamente da escola por causa dos nervos! Não, senhor! Nada disso. Eles que deram um chute bem-dado nela, despediram ela da escola antes mesmo de terminar o primeiro semestre, ainda agora no período escolar de primavera... e me dá pena ter de contar pra você, Stella, por que razão fizeram isso! Um rapaz de dezessete anos... ela se envolveu com ele!

BLANCHE —

> "Mundo circense: picadeiro e lona
> Tudo é mentira, meu João
> Mas não seria faz de conta
> Se acreditasses no teu coração!"

[*Do banheiro, ouve-se o barulho alto e claro de água correndo; ouvem-se gritinhos de quem está com a respiração entrecortada de emoção, e gargalhadas, como se uma criança estivesse brincando na banheira.*]

STELLA — Isso está me deixando... enjoada!

STANLEY — O pai do rapaz ficou sabendo da coisa e foi falar com o diretor da escola. Puxa vida, bem que eu queria estar lá, no gabinete do diretor quando *Lady* Blanche foi chamada a se explicar! Eu queria ver ela tentando se safar dessa! Mas eles pegaram ela direitinho dessa vez, e ela sabia que a festa tinha acabado! Aconselharam ela a se mudar pra território novo. É, foi praticamente um decreto municipal contra ela!

[*A porta do banheiro se abre numa fresta, e Blanche põe a cabeça para fora, segurando uma toalha em volta do cabelo.*]

BLANCHE – Stella!

STELLA [*abatida*] – Pois não, Blanche.

BLANCHE – Me alcance uma outra toalha de banho para eu secar o meu cabelo. Eu recém lavei.

STELLA – Pois não, Blanche. [*Aturdida, ela vai da cozinha até a porta do banheiro, levando uma toalha.*]

BLANCHE – Aconteceu alguma coisa, querida?

STELLA – Alguma coisa? Por quê?

BLANCHE – Você está com uma cara tão estranha!

STELLA – Ah... [*Tenta rir.*] Acho que estou um pouco cansada!

BLANCHE – Por que você não toma um banho também, assim que eu sair?

STANLEY [*chamando da cozinha*] – E isso aí, vai demorar muito ainda?

BLANCHE – Não muito! Acalma a tua alma!

STANLEY – Não é a minha alma, é a minha bexiga que não deixa eu me acalmar! [*Blanche bate a porta. Stanley ri com aspereza. Stella volta devagarinho para a cozinha.*]

STANLEY – Bom, o que é que você me diz?

STELLA – Eu não acredito em nenhuma dessas histórias, e acho que o seu fornecedor foi cruel e desprezível, contando isso tudo. É possível que algumas das coisas que ele disse sejam parcialmente verdade. Tem coisas sobre a minha irmã que eu não aprovo... coisas que causaram muito sofrimento na nossa família. Ela sempre foi...de altos e baixos.

STANLEY – De altos e baixos!

STELLA – Mas, quando ela era moça, bem novinha, ela se casou com um rapaz que escrevia poesia... Ele era muito bonito. Acho que a Blanche não só amava aquele menino: ela simplesmente venerava o chão onde ele pisasse! Tinha adoração pelo rapaz e achava que ele era bom demais para ser humano! Mas então ela descobriu...

STANLEY – O quê?

STELLA – Que aquele rapaz bonito e talentoso era um degenerado. O seu fornecedor não lhe passou essa informação?

STANLEY – Tudo o que a gente conversou foi coisa recente. Isso deve ter sido há muito tempo mesmo.

STELLA – É, foi sim... muito tempo atrás...

[*Stanley levanta-se e segura os ombros de Stella de um modo quase gentil. Ela delicadamente se afasta dele. De modo automático, ela começa a fincar velinhas cor-de-rosa no bolo de aniversário.*]

STANLEY – Quantas velinhas você está pondo nesse bolo?

STELLA – Eu paro em 25.

STANLEY – Estamos esperando visita?

STELLA – Nós convidamos o Mitch para a sobremesa. Bolo com sorvete.

[*Stanley fica sem graça, parece sentir algum desconforto. Acende um novo cigarro no finzinho do que ainda estava fumando.*]

Stanley – Acho que o Mitch não vem hoje.

[*Stella para com o que está fazendo e vira-se devagar para encarar Stanley.*]

Stella – Por quê?

Stanley – O Mitch é meu amigo, meu companheirão. A gente serviu junto no mesmo regimento: Artilharia, Dois-Quatro-Um. A gente trabalha junto na mesma fábrica, e agora a gente tá na mesma equipe de boliche. Você acha que eu ia poder olhar na cara dele se...

Stella – Stanley Kowalski, você... você repetiu o que aquele...?

Stanley – Pode ter certeza que eu contei pro Mitch! Se não, eu ia ficar com isso na minha consciência pro resto da minha vida, se eu soubesse dessa história toda e deixasse o meu melhor amigo ser fisgado!

Stella – O Mitch terminou com ela?

Stanley – Se fosse você, não terminava se...

Stella – Eu perguntei: *o Mitch terminou com ela?*

[*A voz de Blanche ergue-se mais uma vez, serena como sino de igreja. Ela canta: "Mas não seria faz de conta / Se acreditasses no teu coração!"*]

Stanley – Não, eu não acho que ele obrigatoriamente terminou com ela... só ficou avisado!

Stella – Stanley, ela achava que o Mitch ia... ia... ia casar com ela. Eu também estava torcendo que sim.

Stanley – Bom, ele não vai casar com ela. Talvez *fosse*, mas ele não vai pular dentro de um tanque cheio de tubarão... agora! [*Ele se levanta.*] Blanche! Ei, Blanche! Será que eu posso por favor usar o meu banheiro? [*Faz-se uma pausa.*]

BLANCHE – Sim, Vossa Senhoria! Será que o senhor pode esperar um segundo enquanto estou me secando?

STANLEY – Depois de esperar uma hora, acho que um segundo vai passar bem rapidinho.

STELLA – E ela não tem mais o emprego? Nossa, o que ela vai fazer!

STANLEY – Aqui ela só fica até terça-feira. Você sabe disso, não é? E, pra ter certeza, eu mesmo comprei a passagem dela. Uma passagem de ônibus!

STELLA – Em primeiro lugar, a Blanche não viaja de ônibus.

STANLEY – Pois vai viajar de ônibus e vai achar bom.

STELLA – Não, não vai, Stanley, não vai, não!

STANLEY – *Vai sim,* e ponto final. E tem mais: vai na *terça!*

STELLA [*lentamente*] – O que é... que ela... vai fazer? O que, meu Deus do Céu, ela vai... *fazer!*

STANLEY – O futuro dela já foi traçado.

STELLA – O que você quer dizer com isso?

[*Blanche canta.*]

STANLEY – Ei, canarinho! Que droga! Cai *FORA* do *BANHEIRO*.

[*A porta do banheiro se abre totalmente, e Blanche sai com uma gargalhada alegre, mas, quando Stanley passa por ela, um olhar amedrontado surge em seu rosto, quase um olhar de pânico. Ele não olha para ela, mas, quando entra no banheiro, bate a porta com toda a força.*]

BLANCHE [*pegando rápido uma escova de cabelo*] – Ah, eu me sinto tão bem depois de um banho de imersão bem quente, bem demorado... me sinto tão bem, e refrescada e... relaxada!

Stella [*da cozinha, numa voz triste e carregada de dúvida*] – É mesmo, Blanche?

Blanche [*escovando o cabelo vigorosamente*] – Sim, me sinto revigorada! [*Sacode o copo alto, onde tilintam os cubos de gelo de seu drinque.*] Um banho quente e um drinque gelado sempre me dão uma nova perspectiva da vida! [*Espia Stella pelos reposteiros, parando-se bem no meio do cortinado de dois panos, e bem devagarinho vai parando de escovar o cabelo.*] Aconteceu alguma coisa!... O que foi?

Stella [*dando-lhe as costas rapidamente*] – Ora, não aconteceu nada, Blanche.

Blanche – Você está mentindo. Aconteceu alguma coisa! [*Encara Stella com expressão de medo no rosto. Stella finge estar se ocupando da mesa. O piano ao longe agora toca em ritmo agitado e ruidoso; o pianista executa um* breakdown *frenético.*]

CENA 8

Quarenta e cinco minutos depois.

A vista que se tem da janela maior vai escurecendo gradualmente em um lusco-fusco dourado. Um raio de sol brilha na lateral de uma enorme caixa d'água ou barril de petróleo do outro lado do terreno baldio que dá para o centro financeiro da cidade, que agora está pontilhado de janelas que ou estão iluminadas ou refletem o pôr do sol.

As três pessoas estão terminando um jantar de aniversário lúgubre. Stanley está carrancudo, sombrio. Stella está constrangida e triste.

Blanche tem um sorriso artificial, forçado na musculatura contraída de seu rosto tenso. Há um quarto lugar à mesa que ficou vago.

BLANCHE [*subitamente*] – Stanley, conte uma piada, uma história engraçada que nos faça rir. Não sei qual é o problema, estamos todos tão sérios. É porque o meu namorado me deu o bolo? [*Ri um riso débil.*] É a primeira vez, em toda a experiência que já tive com homens, que alguém me deu o bolo, e olhe que eu tive um bocado de experiência, e namorados de todos os tipos. Ha, ha! Eu não sei como lidar com isso... Conte uma historinha engraçada, Stanley. Alguma coisa que possa nos ajudar.

STANLEY – Sempre achei que você não gosta das minhas histórias, Blanche.

BLANCHE – Gosto delas quando são divertidas, mas não indecentes.

STANLEY – Não sei nenhuma refinada que chegue para o seu gosto.

BLANCHE – Então eu posso contar uma.

STELLA – Sim, conte uma história, Blanche. Você sempre sabia um monte de histórias boas.

[*A música vai sumindo aos poucos.*]

BLANCHE – Deixe-me ver, agora... Preciso lembrar do meu repertório. Ah, sim... eu adoro piadas de papagaios. Bom, esta é a piada da solteirona e do papagaio. A solteirona tinha um papagaio que só falava palavrões, um atrás do outro, e conhecia mais vulgaridades que o sr. Kowalski!

STANLEY – Hã.

BLANCHE – E o único jeito de fazer o papagaio calar a boca era cobrir a gaiola com a capa, para que o papagaio pensasse que era noite e fosse dormir. Bem, uma certa manhã, a solteirona recém tinha tirado a capa da gaiola do papagaio, quando... quem ela vê chegando e subindo os degraus e vem até a porta da frente da sua casa? O pastor da igreja que ela frequenta! Bem, ela correu de volta até o papagaio e colocou a capa outra vez na gaiola e foi abrir a porta para o pastor. E o papagaio ficou perfeitamente calado, quieto como um camundongo, mas, quando ela perguntou ao pastor quanto de açúcar ele queria no café... o papagaio quebra o silêncio com um... [*Blanche assobia*] ... bem alto... e diz... "Mas que merda, meu Jesus Cristinho, que dia mais curto!"

[*Ela joga a cabeça para trás e ri. Stella também faz um esforço malsucedido para dar a impressão de que achou graça. Stanley não dá atenção à piada, mas se debruça sobre a mesa para espetar com seu garfo a última chuleta, que então ele come com as mãos.*]

Blanche – Pelo visto, o sr. Kowalski não achou graça.

Stella – O sr. Kowalski está muito ocupado se comportando como um porco para pensar em outras coisas.

Stanley – É isso aí, amorzinho.

Stella – Você está com a cara e as mãos nojentas de tão lambuzadas. Vá se lavar e depois venha me ajudar a tirar a mesa.

[*Ele atira uma travessa de comida no chão.*]

Stanley – É assim que eu vou tirar a mesa! [*Agarra o braço dela.*] Nunca mais fale comigo desse jeito! "Porco... polaco... nojento... vulgar... lambuzado!" ...Esse tipo de palavreado tem andado muito na língua de vocês duas ultimamente, você e essa sua irmã. O que vocês pensam que são? Um par de rainhas? É só lembrar o que disse Huey Long: "Cada homem é rei!" E eu sou o rei aqui nesta casa! Então, não se esqueçam disso! [*Joga sua xícara e pires no chão.*] O meu lugar está limpo! Querem que eu limpe os lugares de vocês?

[*Stella começa a chorar de mansinho. Stanley sai furioso para o patamar dos degraus da frente e acende um cigarro.*]

[*Ouvem-se os músicos negros que tocam logo ali, virando a esquina.*]

Blanche – O que aconteceu enquanto eu estava no banho? O que ele conversou com você, Stella?

Stella – Nada, nada, nada!

Blanche – Acho que ele contou alguma coisa para você sobre mim e o Mitch. Você sabe por que o Mitch não veio e não quer me contar. [*Stella faz que não com a cabeça, num gesto impotente.*] Eu vou telefonar para ele.

Stella – Se eu fosse você, não telefonava, Blanche.

Blanche – Eu vou sim, vou ligar para ele.

Stella [*em sofrimento*] – Eu prefiro que você não telefone.

Blanche – E eu prefiro que alguém me dê alguma explicação!

[*Corre para o telefone no quarto. Stella sai para o patamar e encara o marido com um olhar de censura. Ele dá um grunhido e lhe dá as costas.*]

Stella – Espero que esteja feliz com o que fez. Nunca na minha vida achei tão difícil engolir a comida, olhando para o rosto daquela moça e a cadeira vazia! [*Chora baixinho.*]

Blanche [*ao telefone*] – Alô. O sr. Mitchell, por favor. (...) Ah... Eu gostaria de deixar um número, se for possível. Magnólia 9047. E diga que é importante que ele telefone. (...) Sim, muito importante. (...) Obrigada. [*Ela fica ali, ao telefone, com um olhar perdido, assustado.*]

[*Stanley vira-se devagar para sua mulher e, muito desajeitado, abraça-a.*]

Stanley – Stell, vai ficar tudo bem depois que ela for embora e depois que você tiver o bebê. Vai ficar tudo bem outra vez entre eu e você, do jeito que era antes. Você lembra do jeito que era antes? As noites que a gente tinha, só nós dois? Meu Deus, querida, vai ser bom demais quando a gente puder fazer barulho de noite do jeito que a gente fazia e acender as luzes coloridas sem a irmã de ninguém do outro lado das cortinas pra ouvir a gente! [*Ouvem-se os vizinhos do andar de cima às vezes em sonoras gargalhadas. Stanley ri.*] O Steve e a Eunice...

Stella – Vamos entrar. [*Ela volta para a cozinha e começa a acender as velinhas no bolo branco.*] Blanche!

BLANCHE [*voltando do quarto para a mesa da cozinha*] – Ah, essas velinhas, tão pequeninhas, tão bonitinhas! Ah, não precisa acender, Stella!

STELLA – Claro que precisa.

[*Stanley volta para dentro.*]

BLANCHE – Você devia guardar essas velinhas para os aniversários do seu filho. Ah, eu espero que as velinhas brilhem na vida dele, e eu espero que os olhinhos dele sejam como essas velinhas, como duas velas azuis acesas num bolo branco!

STANLEY [*sentando-se*] – Quanta poesia!

BLANCHE [*por um momento, faz uma pausa para refletir*] – Eu não devia ter telefonado para ele.

STELLA – É tanta coisa que pode ter acontecido!

BLANCHE – Isso não é desculpa, Stella. Eu não preciso aguentar um insulto desses. Não vou deixar que ele pense que, só porque sou a namorada dele, não precisa me tratar com consideração.

STANLEY – Que droga, tá quente e abafado aqui dentro, depois do vapor todo do banheiro.

BLANCHE – Eu já pedi desculpas três vezes. [*O som do piano vai sumindo aos poucos.*] Tomo banhos quentes para os meus nervos. Hidroterapia, é como se chama. Você, um polaco saudável, sem um único nervo no corpo, óbvio que não sabe o que é sentir ansiedade!

STANLEY – Eu não sou um polaco. Quem vem da Polônia é polonês, e não polaco. Mas eu na verdade sou cem por cento americano, nascido e criado no maior e melhor país do mundo, e tenho muito orgulho disso; portanto, nunca mais me chame de polaco.

[*Toca o telefone. Blanche levanta-se, numa expectativa boa.*]

BLANCHE – É para mim, tenho certeza de que é para mim.

STANLEY – *Eu* não tenho tanta certeza. Pode ficar sentada. [*Vai com toda a calma até o telefone.*] Alô... Ah, sim, alô, Mac.

[*Ele se apoia na parede, encarando Blanche de modo insultante. Ela afunda de volta na cadeira com um olhar assustado. Stella inclina-se sobre Blanche e toca-lhe o ombro.*]

BLANCHE – Ah, não encoste em mim, Stella. Qual é o seu problema? Por que está me olhando desse jeito, com esse olhar de pena?

STANLEY [*gritando*] – QUIETAS AÍ!... Temos uma mulher barulhenta aqui em casa. (...) Agora, Mac, continue. (...) No Riley's? Não, não tô a fim de jogar boliche no Riley's. Eu tive um desentendimento com o Riley semana passada. Eu sou o capitão da equipe, não sou? (...) Muito bem, então a gente não vai jogar no Riley's, a gente vai jogar boliche no West Side ou então no Gala! (...) Combinado, Mac. Te vejo mais tarde. [*Desliga o telefone e volta para a mesa. Blanche controla todos os movimentos de Stanley com ferocidade, bebendo rapidamente do seu copo d'água. Ele não olha para ela, mas procura algo num bolso da roupa. Então ele fala bem devagar e com falsa amabilidade:*] Blanche, minha cunhada, eu tenho uma lembrancinha de aniversário pra você.

BLANCHE – É mesmo, Stanley? Eu não estava esperando nada, eu... eu não sei por que a Stella faz questão de festejar o meu aniversário! Eu, por mim, preferia esquecer...

quando a gente... já passou dos 27! Bom... a idade é um assunto que a gente prefere... ignorar!

STANLEY – Vinte e sete?

BLANCHE [*mais que rápido*] – O que é? É para mim?

[*Ele está segurando um pequeno envelope na direção de Blanche.*]

STANLEY – Sim, espero que você goste.

BLANCHE – Ora, ora... Mas... é uma...

STANLEY – Passagem! De volta para Laurel! Em ônibus da Greyhound! Terça-feira!

[*A melodia da polca varsoviana entra aos pouquinhos, suavemente, e continua tocando. Stella levanta-se de súbito e vira de costas para os dois. Blanche tenta sorrir. Depois, tenta rir. Então, desiste de um e de outro e levanta-se de um pulo da mesa e corre para o quarto. Envolve a garganta com a mão e então corre para o banheiro. Ouvem-se os barulhos de quem está vomitando: sons de tosse e de enjoo.*]

STANLEY – Ora, vejam só!

STELLA – Você não precisava ter feito isso.

STANLEY – Não se esqueça de todos os desaforos dela que eu tive que aguentar.

STELLA – Você não precisava ser tão cruel com uma pessoa tão sozinha como ela é.

STANLEY – Tão delicadinha que ela é.

STELLA – Ela é, sim. Ela era. Você não conheceu a Blanche quando era pequena. Ninguém, ninguém mesmo, era tão carinhoso como ela, e ninguém confiava tanto nos outros como ela. Mas as pessoas gostavam de maltratar a Blanche, e isso a obrigou a mudar. [*Ele vai até o quarto de dormir, arranca a camisa e veste uma camisa da* *equipe de boliche, brilhosa, de seda. Stella segue-o até o quarto.*] Você pensa que vai jogar boliche agora?

STANLEY – Claro que vou.

STELLA – Você não vai jogar boliche. [*Agarra-o pela camisa.*] Por que você fez isso com ela?

STANLEY – Não fiz nada com ninguém. Larga a minha camisa. Olha aí: rasgou.

STELLA – Eu quero saber por quê. Me diga: por quê?

STANLEY – Quando a gente se conheceu, nós dois, você pensou que eu era comum, simples. Tava mais que certa, amorzinho. Eu era comum e simples como o pó da terra. Você me mostrou a foto do casarão com as colunas. Eu arranquei você lá de cima daquelas colunas e você adorou, com as minhas luzes coloridas girando e tudo! E a gente não tava feliz os dois junto? Não tava tudo bem até que ela apareceu aqui?

[*Stella faz um leve movimento. Seu olhar de repente está olhando para dentro de si mesma, como se uma voz interior tivesse chamado o seu nome. Ela começa uma caminhada lenta, de pés arrastados, desde o quarto até a cozinha, onde se debruça no encosto da cadeira e fica ali se apoiando, e depois na ponta de uma mesa, com um olhar cego e uma expressão atenta. Stanley, arrumando sua camisa, não percebe a reação de Stella.*]

STANLEY – E a gente não tava feliz os dois junto? Não tava tudo bem? Até que ela apareceu aqui. Metida a besta, me descrevendo como um macaco. [*Ele de repente se dá conta da mudança em Stella.*] Ei, o que foi, Stell? [*Aproxima-se dela.*]

STELLA [*em voz baixa*] – Me leve para o hospital.

[*Agora ele está com Stella, que se apoia no braço dele, murmurando algo indiscernível enquanto vão saindo.*]

CENA 9

Um pouco mais tarde no mesmo dia. Agora é noite. Blanche está sentada numa posição encolhida e tensa, numa cadeira do quarto de dormir que ela recuperou com tecido de listras diagonais em verde e branco. Está usando o seu roupão de cetim vermelho. Na mesinha ao lado da cadeira há uma garrafa de bebida e um copo. A melodia rápida e febril da polca está tocando; ouve-se a polca varsoviana. A música toca dentro de sua cabeça, e ela está bebendo para fugir da música e da sensação de desastre que se vai fechando sobre ela. Ela parece sussurrar as palavras da letra da canção. Um ventilador elétrico está ligado, as pás se movendo para frente e para trás, e veem-se as sombras dessas pás passando por Blanche.

Mitch vem chegando, dobrando a esquina, em sua roupa de trabalho: camisa e calça de brim azul-escuro. Está com a barba por fazer. Ele sobe os degraus até a porta do apartamento de baixo e toca a campainha. Blanche leva um susto.

BLANCHE – Pois não? Quem é?

MITCH [*a voz rouca*] – Sou eu. O Mitch.

[*O som da polca para imediatamente.*]

BLANCHE – Mitch!... Um minutinho.

[*Ela corre, num frenesi, para esconder a garrafa num closet, abaixando-se para se olhar no espelho da penteadeira e jogando no rosto água-de-colônia e pó de arroz. Está tão animada que sua respiração se torna audível à medida que ela vai para lá e para cá. Por fim, corre para a porta da frente e deixa-o entrar.*]

BLANCHE – Mitch!... Sabe, na verdade eu nem devia deixar você entrar, depois de como você me tratou hoje! Um comportamento tão anticavalheiresco! Mas, enfim... oi, meu lindo!

[*Ela lhe oferece os lábios. Ele ignora o gesto e passa por ela, empurrando-a aparentemente sem querer ao entrar no apartamento. Com medo, assustada, ela fica olhando ele entrar no quarto de dormir a passos largos e decididos.*]

BLANCHE – Minha nossa, que esnobada! E um traje tão deselegante! Ora, você nem fez a barba! Um insulto para uma dama, e indesculpável. Mas você está perdoado. Perdoo porque é um alívio tão grande ver você! Você fez parar uma polca que não tinha jeito de sair da minha cabeça. Você já ficou ouvindo e ouvindo uma música que não lhe sai da cabeça? Não, claro que não, seu carinha de anjo surdo, você nunca ficaria ouvindo um som horroroso repetir e repetir na sua cabeça!

[*Ele fica olhando fixamente para ela enquanto ela o segue ao mesmo tempo que vai falando. É óbvio que ele bebeu vários drinques antes de chegar ali.*]

MITCH – A gente precisa do ventilador ligado?

BLANCHE – Não.

MITCH – Eu não gosto de ventiladores.

BLANCHE – Então vamos desligá-lo, querido. Eu não tenho nenhuma preferência por ventiladores. [*Ela aperta o interruptor e o ventilador vai parando de girar aos pouquinhos. Ela pigarreia, limpando a garganta, sentindo-se desconfortável quando vê que Mitch se joga na cama e acende um cigarro.*] Eu não sei se tem alguma coisa para beber. Eu... não averiguei.

Mitch – Eu não quero bebida do Stan.

Blanche – Não é do Stan. Nada aqui dentro é do Stan. Algumas coisas da casa na verdade são minhas! Como está a sua mãe? A sua mãe não está bem?

Mitch – Por quê?

Blanche – Alguma coisa não está certa esta noite, mas deixe para lá. Eu não vou fazer interrogatórios. Eu só vou... [*Ela toca a testa num gesto vago. O som da polca recomeça.*] ... Faça de conta que eu não estou percebendo nada de diferente em você! Essa... música de novo...

Mitch – Que música?

Blanche – A varsoviana! A polca que estavam tocando quando Allan... Espere! [*Ouve-se um tiro de revólver ao longe. Blanche parece aliviada.*] Agora sim, o tiro! Sempre para, depois do tiro. [*O som da polca some de novo.*] Sim, agora parou.

Mitch – Você tá amalucando, é?

Blanche – Eu vou ver o que posso fazer para... [*Vai até o closet, fingindo que procura por uma garrafa.*] Ah, por sinal, me desculpe por não estar vestida. Mas eu já tinha praticamente desistido de esperar que você chegasse! Você esqueceu que estava convidado para o jantar?

Mitch – Eu tinha decidido não ver você nunca mais.

Blanche – Só um pouquinho. Não estou escutando o que você está dizendo, e você fala tão pouco que, quando diz alguma coisa, eu não quero perder nem uma sílaba... O que era mesmo que eu vim buscar? Ah, sim... uma bebida! Nós tivemos tantas emoções por aqui esta noite que eu *estou* ficando maluca mesmo! [*Ela de repente* *finge que "achou" a garrafa. Ele traz um pé para cima da cama e olha para Blanche com desprezo.*] Aqui temos alguma coisa. Southern Comfort! O que será que é isso?

MITCH – Se você não sabe, então só pode ser bebida do Stan.

BLANCHE – Tire o pé de cima da cama! A colcha é muito fininha. Claro que vocês, homens, não notam esse tipo de coisa. Eu ajeitei muita coisa aqui nesta casa desde que vim para cá.

MITCH – Aposto que sim.

BLANCHE – Você viu como estava tudo antes de eu chegar. Bem, olhe agora! Este quarto aqui está quase... requintado! Quero mantê-lo assim. Será que este negócio aqui é para misturar com alguma coisa? Hmmm, é doce, muito doce! Doce demais, demais! Ora, é uma bebida forte, eu acho! Sim, é isso, uma bebida concentrada! [*Mitch solta um grunhido.*] Acho que não vou gostar, mas você pode provar, talvez goste.

MITCH – Eu já disse que não quero bebida do Stanley, e estou falando sério. É melhor você parar de ficar tomando das bebidas dele. Ele falou que você andou entornando todas o verão todinho, como um gambá!

BLANCHE – Que afirmação fantástica! Fantástica da parte dele, por dizer, e fantástica da sua parte, por repetir! Eu não vou descer ao nível dessas acusações baratas, nem mesmo para me defender delas!

MITCH – Hã.

BLANCHE – No que você está pensando? Alguma coisa há, eu posso ver nos seus olhos.

MITCH [*pondo-se de pé*] – Está escuro aqui.

Blanche – Eu gosto de ficar no escuro. O escuro para mim é reconfortante.

Mitch – Acho que nunca vi você na luz. [*Blanche ri, faltando-lhe o fôlego.*] Isso é fato.

Blanche – É mesmo?

Mitch – Nunca vi você de tarde.

Blanche – Culpa de quem?

Mitch – Você nunca quer sair de tarde.

Blanche – Ora, Mitch, você está sempre trabalhando na fábrica de tarde.

Mitch – Não nos domingos de tarde. Eu convidei você para sair comigo algumas vezes em domingos, mas você sempre dá alguma desculpa. Você nunca quer sair antes das seis, e daí sempre é para algum lugar que não tem muita iluminação.

Blanche – Deve haver algum significado obscuro nisso que você está me dizendo, mas eu não consigo entender o que é.

Mitch – "O que é" é que eu nunca dei uma boa olhada em você, Blanche. Vamos acender a luz.

Blanche [*assustada*] – Luz? Que luz? Para quê?

Mitch – Esta aqui, com o negócio de papel em volta. [*Ele rasga a lanterna de papel, arrancando-a da lâmpada. Ela deixa escapar um grito sufocado e amedrontado.*]

Blanche – Por que você fez isso?

Mitch – Para eu poder dar uma olhada em você; uma boa olhada em você, simples e direta!

Blanche – Claro que você não tem a intenção pura e simples de me insultar!

Mitch – Não, só estou sendo realista.

Blanche – Eu não quero realismo. Eu quero magia! [*Mitch ri.*] Sim, sim, magia! Tento dar isso às pessoas. Fantasio as coisas para elas. Eu não digo a verdade, eu digo o que *deveria* ser a verdade. E, se isso é pecado, então que eu seja condenada ao inferno por isso! ...*Não acenda a luz!*

[*Mitch vai até o interruptor. Acende a luz e olha fixo para ela. Blanche dá um grito e cobre o rosto. Ele apaga a luz novamente.*]

Mitch [*falando lentamente, num tom amargo*] – Eu não me importo de você ser mais velha do que eu pensava. Mas o resto todo... meu Deus! Aquela conversa fiada sobre os seus ideais serem tão antiquados, e toda a farsa que você inventou o verão todo! Eu sabia que você não tinha quinze aninhos há muito tempo. Mas fui tolo o suficiente para acreditar que você era mulher direita.

Blanche – Quem lhe disse que eu não era... "mulher direita"? O meu queridíssimo cunhado. E você acreditou nele.

Mitch – Primeiro eu chamei ele de mentiroso. Mas então eu fui checar a história. Primeiro, perguntei pro nosso fornecedor que passa por Laurel nas viagens dele. E depois dei um telefonema de longa distância e falei diretamente com esse comerciante.

Blanche – Quem é esse comerciante?

Mitch – Kiefaber.

Blanche – O comerciante Kiefaber de Laurel! Eu conheço o homem. Ele assobiava para mim. Eu o coloquei no seu devido lugar. Então agora, para se vingar, ele inventa histórias sobre mim.

Mitch – Três pessoas: Kiefaber, Stanley e Shaw, e todos os três juraram que as histórias são verdade.

Blanche – "Sem eira nem beira / Três marmanjos numa banheira!" E os três numa água imunda!

Mitch – Você não ficava num hotel chamado Flamingo?

Blanche – Flamingo? Não! Tarântula era o nome do meu hotel. Eu ficava num hotel chamado Pernas de Tarântula.

Mitch [*com um ar de ignorância*] – Tarântula?

Blanche – Sim, uma aranha enorme, venenosa! Era para lá que eu levava as minhas vítimas. [*Ela se serve de mais um drinque.*] Sim, eu tive muitas intimidades com estranhos. Depois da morte do Allan... ter intimidades com estranhos parece que foi a única coisa capaz de preencher o meu coração vazio com... acho que era pânico, simplesmente pânico, o que me levava de um para outro, eu sempre à caça de proteção... aqui e ali, na maioria deles... em lugares improváveis... até mesmo, por último, num rapaz de dezessete anos, mas... alguém escreveu para o diretor da escola sobre isso... "Essa mulher está moralmente incapacitada para o cargo que exerce"! [*Ela joga a cabeça para trás com uma risada convulsiva, acompanhada de soluços de choro. Então repete a frase da carta ao diretor, fica sem fôlego e bebe.*] Era verdade? Sim, suponho que sim... incapacitada de alguma maneira... de qualquer modo... Então eu vim para cá. Eu não tinha nenhum outro lugar para onde ir. Fui considerada carta fora do baralho. Você sabe como é ser uma carta fora do baralho? Minha juventude de repente se foi pelo ralo, e... eu encontrei você. E você me disse que precisava de alguém. Bom, eu também precisava. Agradeci a Deus por ter encontrado você, porque você parecia ser gentil... uma brecha no rochedo do mundo, onde eu poderia me esconder! Mas acho que eu pedi... demais! Tive expectativas... demais! Kiefaber, Stanley e Shaw, eles tinham amarrado uma lata velha na cauda da pipa.

[*Faz-se uma pausa. Mitch olha para ela fixamente, estupidamente.*]

MITCH – Você mentiu pra mim, Blanche.

BLANCHE – Não diga que eu menti para você.

MITCH – Mentiras, mentiras, dentro e fora, tudo mentira.

BLANCHE – Nunca dentro de mim. Eu não menti no meu coração.

[*Uma vendedora ambulante chega, virando a esquina. É uma mulher cega, mexicana, usando um xale preto, carregando braçadas daquelas flores de lata, de mau gosto, que os mexicanos de classe baixa exibem em enterros e em outras ocasiões festivas. Ela recita o seu chamado de vendedor tão baixinho que mal dá para ouvir. Quase não se vê sua silhueta.*]

MEXICANA – *Flores. Flores. Flores para los muertos. Flores. Flores.*

BLANCHE – O quê? Ah! É alguém lá fora... [*Vai até a porta, abre-a e fica olhando para a Mexicana.*]

MEXICANA [*chega à porta e oferece algumas de suas flores a Blanche*] – *Flores? Flores para los muertos?*

BLANCHE [*assustada*] – Não, não! Agora não! Agora não! [*Entra mais que rápido no apartamento e bate a porta com força.*]

MEXICANA [*vira-se e recomeça a andar pela rua*] – *Flores para los muertos.*

[*A melodia da polca recomeça, primeiro bem baixinho, depois o volume vai aumentando gradualmente.*]

BLANCHE [*como se falasse consigo mesma*] – Esfarela-se e enfraquece e... arrependimentos... recriminações... "Se tu tivesses feito tudo assim, não terias me custado tanto assim!"

MEXICANA – *Corones para los muertos. Corones...*

BLANCHE – Legados! Hã... E outras coisas, como as fronhas manchadas de sangue... "A roupa de cama dela precisa ser trocada"... "Sim, Mamãe. Mas não podemos ter uma negrinha para fazer isso?" Não, é claro que nós não podíamos. Tudo perdido, exceto...

MEXICANA – *Flores.*

BLANCHE – A morte. ...Eu sentava aqui, e ela sentava ali, e a morte estava tão pertinho de nós... tanto quanto você está de mim... Nós não nos atrevíamos nem mesmo a admitir que já tínhamos ouvido falar dela!

MEXICANA – *Flores para los muertos, flores... flores...*

BLANCHE – O oposto é o desejo. E isso faz a gente se espantar? Como é que a gente ia poder se espantar! Não muito longe dali, de Belle Reve, antes de a gente perder Belle Reve, tinha ali um acampamento militar onde davam treinamento para os soldados novos. Nos sábados à noite, eles iam para a cidade para beber, para encher a cara...

MEXICANA [*a voz bem suave*] – *Corones...*

BLANCHE – ...e, no caminho de volta, eles entravam trocando perna no meu gramado e chamavam: "Blanche! Blanche!" ...A velhinha surda, a única que sobrou viva, nunca desconfiou de nada. Mas às vezes eu saia de mansinho até lá fora, para responder aos chamados deles... Mais tarde, o camburão passava por ali, arrebanhando todos eles... como se fossem margaridas... no longo caminho para casa...

[*A Mexicana vira-se lentamente e sai, perambulando com seus chamados suaves e de luto. Blanche vai até a penteadeira e debruça-se nela. Após um momento, Mitch levanta-se e a segue com um propósito. O som da polca vai sumindo. Ele põe as mãos na cintura de Blanche e tenta fazer com que ela se vire de frente para ele.*]

BLANCHE – O que você quer?

MITCH [*desengonçado, tentando abraçá-la*] – O que eu estive perdendo o verão todo.

BLANCHE – Então case comigo, Mitch!

MITCH – Acho que não quero mais casar com você.

BLANCHE – Não?

MITCH [*soltando as mãos da cintura dela*] – Você não é limpa que chegue pra eu botar dentro de casa com a minha mãe.

BLANCHE – Então vá embora. [*Ele fica olhando fixo para ela.*] Saia daqui, rápido antes que eu comece a gritar "fogo"! [*A garganta dela está se estreitando num acesso histérico.*] Saia daqui, rápido antes que eu comece a gritar "fogo". [*Ele continua olhando fixo para ela. Ela subitamente corre para a janela grande com o seu retângulo azul-claro da luz suave do verão e grita com fúria:*] Fogo! Fogo! Fogo!

[*Com a respiração entrecortada pelo susto, Mitch vira-se e sai pela porta da rua, atrapalha-se com os degraus que dão para a calçada e segue com estardalhaço até desaparecer ao dobrar a rua na esquina do prédio.*

[*Blanche sai da janela, cambaleante, e cai de joelhos. O piano toca ao longe, lento e melancólico.*]

CENA 10

Algumas horas mais tarde, naquela mesma noite.

Blanche está bebendo sem parar desde que Mitch saiu. Ela arrastou sua mala-armário até o centro do quarto de dormir. A mala está aberta; tem vestidos floridos atirados por cima da própria mala. À medida que vai progredindo naquele beber e fazer mala, um estado de histérica alegria vai tomando conta de Blanche, e ela se veste com apuro e se enfeita: um vestido longo de cetim branco, um pouco encardido e amassado, e um par de chinelinhos de salto alto, muito velhos e gastos, prateados, cravejados de pontinhos brilhantes nos saltos.

Agora ela está colocando a tiara de strass *na cabeça, em frente ao espelho da penteadeira, e murmurando frases, animadíssima, como se falasse para um grupo de admiradores-fantasmas.*

BLANCHE – Que tal a gente ir nadar? Nadar à luz do luar, na velha pedreira. Se é que alguém está sóbrio o suficiente para dirigir um carro! Ha, ha! Melhor jeito que existe para fazer a cabeça parar de zunir! Só que vocês têm de ter cuidado para mergulhar no ponto de maior profundidade... se você bater numa pedra, não vai subir à tona hoje...

[*Tremendo, ela ergue o espelho de mão para uma inspeção mais detalhada. Prende a respiração e larga o espelho na penteadeira, virado para baixo, mas com tanta violência que ele se quebra. Ela geme um pouco e tenta se levantar.*

[*Stanley aparece, dobrando a esquina do prédio. Ele ainda está usando a camisa berrante, de seda verde, da equipe de boliche. Quando ele dobra a esquina, ouve-se a música de cabaré-espelunca. Esta é a música que se vai ouvir durante toda a cena.*

[*Ele entra na cozinha, batendo a porta com força. Dá uma espiada em Blanche e solta um assobio baixinho. Ele já tomou alguns drinques a caminho de casa e trouxe consigo algumas garrafas de cerveja, de um litro cada.*]

BLANCHE – Como está a minha irmã?

STANLEY – Ela está bem.

BLANCHE – E como está o neném?

STANLEY [*sorrindo de modo amigável*] – O bebê só vai nascer de manhã, então me mandaram pra casa, pra usar essas horinhas pra fechar os olhos.

BLANCHE – Isso quer dizer que temos de ficar só nós os dois aqui?

STANLEY – Isso. Só eu e você, Blanche. A menos que você tenha alguém escondido aí debaixo da cama. Por que outro motivo você ia estar assim toda arrumada e chique?

BLANCHE – Ah, isso. Vocês saíram antes de chegar o meu telegrama.

STANLEY – Você recebeu um telegrama?

BLANCHE – Recebi um telegrama de um antigo admirador meu.

STANLEY – Notícias boas?

BLANCHE – Acho que sim. Um convite.

STANLEY – Convite pra quê? Um baile do Corpo de Bombeiros?

BLANCHE [*jogando a cabeça para trás*] – Um cruzeiro de iate no Caribe!

STANLEY – Ora, ora, quem diria!

BLANCHE – Nunca fiquei tão surpresa em toda a minha vida.

STANLEY – Posso imaginar.

BLANCHE – Foi como um raio que despencasse de repente na minha cabeça.

STANLEY – Você disse que recebeu o convite de quem mesmo?

BLANCHE – Um antigo admirador.

STANLEY – O mesmo que lhe deu a estola branca de pele de raposa?

BLANCHE – O sr. Shep Huntleigh. Na último ano da faculdade, a gente namorava firme. Depois disso, nunca mais nos vimos, até este último Natal. Encontrei com ele por acaso, no Biscayne Boulevard. Então... agorinha mesmo... esse telegrama... me convidando para um cruzeiro no Caribe! O problema são as roupas! Virei e revirei a minha mala para ver o que eu tenho que seja adequado aos trópicos.

STANLEY – E conseguiu essa... linda... tiara de... diamantes?

BLANCHE – Essa relíquia? Ha, ha! É só *strass*.

STANLEY – Puxa vida! E eu pensando que eram diamantes da Tiffany. [*Ele desabotoa a camisa.*]

BLANCHE – Bem, de qualquer modo, vão me tratar como se eu fosse uma rainha.

STANLEY – Arrã. Só prova, mais uma vez, que a gente nunca sabe o que se tem pela frente.

Blanche – Bem quando eu pensava que a minha sorte tinha me abandonado...

Stanley – Daí cai do céu esse milionário de Miami.

Blanche – Esse homem não é de Miami. Esse homem é de Dallas.

Stanley – Esse homem é de Dallas?

Blanche – Sim, esse homem é de Dallas, onde o ouro jorra do chão.

Stanley – Bom, desde que ele seja de algum lugar! [*Ele começa a tirar a camisa.*]

Blanche – Feche as cortinas antes de continuar tirando a roupa.

Stanley [*amigavelmente*] – Isso é tudo que eu vou tirar por enquanto. [*Ele rasga a embalagem de uma garrafa de um litro de cerveja.*] Você viu o abridor de garrafa? [*Ela anda lentamente até a cômoda, onde fica parada, de pé, as mãos entrelaçadas de modo tenso.*] Eu tinha um primo que sabia abrir uma garrafa de cerveja com os dentes. [*Soqueando a tampinha da garrafa na quina da mesa.*] E esse era o grande feito dele, era tudo que ele sabia fazer... ele não passava de um abridor de garrafa humano. E então teve um dia, numa festa de casamento, que ele quebrou o dente da frente! Ele perdeu o dente. Depois disso, ficou com tanta vergonha dele mesmo que ele saía de casa na surdina quando chegava visita... [*A tampinha da garrafa salta fora, e um jorro de espuma se ergue no ar. Stanley ri de contente, e segura a garrafa em cima da cabeça.*] Ha, ha! Chuva dos céus! [*Ele alcança a garrafa para Blanche.*] Vamos enterrar a machadinha e fumar o cachimbo da paz? Hein?

Blanche – Não, obrigada.

STANLEY – Bem, de qualquer modo é uma data memorável pra nós dois. Você tem um milionário do petróleo, e eu tenho um bebê. [*Ele vai até a escrivaninha do quarto de dormir e se agacha para tirar alguma coisa da gaveta de baixo.*]

BLANCHE [*recuando*] – O que você está fazendo aqui?

STANLEY – Tem uma coisa que eu sempre tiro dos meus guardados em ocasiões especiais, como hoje. O pijama de seda que eu usei na noite do meu casamento!

BLANCHE – Ah.

STANLEY – Quando o telefone tocar e eles me disserem: "O senhor tem um filho macho!", daí então eu vou arrancar o pijama do corpo e vou agitar ele alto no ar como uma bandeira. [*Ele agita no ar um casaco de pijama, brilhoso.*] Acho que nós dois temos o direito de estufar o peito e empinar o nariz. [*Ele volta para a cozinha com o casaco do pijama no braço.*]

BLANCHE – Quando penso como vai ser divino ter de novo algo parecido com privacidade... me dá vontade de chorar de alegria!

STANLEY – Esse milionário de Dallas não vai interferir nem um pouquinho na sua privacidade?

BLANCHE – Não vai ser o tipo de coisa que você tem em mente. Esse homem é um cavalheiro, e ele me respeita. [*Improvisando de modo febril:*] O que ele quer é a minha companhia. Ter rios de dinheiro muitas vezes torna as pessoas solitárias! Uma mulher culta, uma mulher de berço e inteligente, ela pode enriquecer a vida de um homem... de modo incalculável. Eu tenho isso a oferecer, e são coisas que não passam com o tempo. A beleza física é temporária. Um patrimônio transitório. Mas a beleza da mente e a riqueza do espírito e a ternura do coração... e eu tenho tudo isso... não são coisas que se vá perder, pois, ao contrário, elas crescem! Aumentam com a idade! É estranho que pensem que sou uma mulher pobre. Quando tenho todos esses tesouros trancados no meu coração. [*Ouve-se um soluço estrangulado na voz dela.*] Eu penso de mim mesma que sou uma mulher muito, muito rica! Mas eu tenho sido boba... jogando minhas pérolas aos porcos!

STANLEY – Porcos, hã?

BLANCHE – Sim, porcos! Porcos! E não estou pensando apenas em você, mas também no seu amigo, o sr. Mitchell. Ele veio me ver agora de noite. E teve o atrevimento de vir aqui em trajes de trabalho! E veio repetir calúnias no meu ouvido, histórias de pura maldade que ele ouviu de você! Pois eu lhe dei o bilhete azul e mandei ele passear...

STANLEY – Foi o que você fez, hã?

BLANCHE – Mas ele voltou. Voltou com uma caixa de rosas, me pedindo perdão! Implorou o meu perdão. Mas tem coisas que não se pode perdoar. Uma crueldade deliberada é imperdoável. É a única coisa que, na minha opinião, não tem desculpas, e é a única coisa de que não podem me acusar, nunca. E então eu disse para ele: "Obrigada", mas foi bobagem da minha parte pensar que poderíamos algum dia nos adaptar um ao outro. Nossos modos de vida são diferentes demais. O comportamento de um e de outro e a educação que cada um recebeu são incompatíveis. Temos de ser realistas em relação a essas coisas. Então, adeus, meu amigo! E que não haja ressentimentos...

STANLEY – Isso foi antes ou depois que chegou o telegrama do milionário do petróleo do Texas?

BLANCHE – Que telegrama? Não! Não, depois! Na verdade, o telegrama chegou bem quando...

STANLEY – Na verdade, nunca teve nenhum telegrama!

BLANCHE – Ah, ah!

STANLEY – Não tem milionário nenhum! E o Mitch não voltou com rosas porque eu sei onde é que ele tá...

BLANCHE – Ah!

STANLEY – Não tem porcaria nenhuma de nada disso, a não ser na sua imaginação!

BLANCHE – Ah!

STANLEY – E nas suas mentiras e fantasias e armadilhas!

BLANCHE – Ah!

STANLEY – E olhe só pra você! Dê uma olhada em você, nessa roupa de carnaval já gasta de tanto sair no Mardi Gras, alugada por cinquenta centavos de algum trapeiro! E com essa coroa maluca! Que rainha você pensa que é?

BLANCHE – Ah... meu Deus...

STANLEY – Eu estou de olho em você desde o início! Nem uma vez você pôs vendas nos olhos deste rapaz aqui! Você chega aqui e polvilha o lugar com pó de arroz e borrifa perfume e cobre a lâmpada com uma lanterna de papel, e olhem! Vejam que o lugar se transformou no Egito e você é a Rainha do Nilo! Sentada no seu trono e entornando a minha bebida! E eu estou dizendo... *Ha*! ... *Ha*! Está me ouvindo? *Ha... ha... ha*! [*Ele entra no quarto de dormir.*]

BLANCHE – Não entre aqui!

[*Reflexos sinistros aparecem nas paredes ao redor de Blanche. As sombras têm formas grotescas e ameaçadoras.*

Ela prende a respiração, vai até o telefone, pega o fone e baixa e solta o gancho repetidas vezes, em sequência rápida. Stanley entra no banheiro e fecha a porta.]

Telefonista! Telefonista! Me faça uma ligação de longa distância, por favor... Quero entrar em contato com o sr. Shep Huntleigh de Dallas. Ele é tão conhecido que não precisa que se dê nenhum endereço. É só perguntar para qualquer um que... Espere! (...) Não, não estou encontrando agora neste minuto. (...) Por favor, entenda, eu... (...) Não! Não, espere! (...) Um momentinho! Alguém está... (...) Nada! Um momento, por favor, não desligue!

[*Ela põe o fone ao lado do aparelho e vai pé ante pé até a cozinha. A noite está tomada por vozes desumanas, à semelhança de gritos numa selva.*

[*As sombras e os reflexos sinistros movem-se sinuosamente, como chamas que atravessassem os espaços das paredes.*

[*Através da parede de trás dos dois cômodos, que se tornaram transparentes, pode-se ver a calçada. Uma prostituta mete a mão no bolso de um bêbado e afana-lhe a carteira. Ele a segue pela calçada, consegue alcançá-la, e os dois entram em luta corporal. O apito de um guarda faz os dois se separarem. As figuras desaparecem.*

[*Alguns momentos depois, a Mulher Negra aparece, virando a esquina, trazendo na mão a bolsa de lantejoulas que a prostituta deixara cair na calçada. Ela está toda animada, remexendo os conteúdos da bolsa.*

[*Blanche aperta as juntas dos dedos contra os lábios e volta lentamente ao telefone. Fala num susssurro rouco.*]

BLANCHE – Telefonista! Telefonista! Esqueça a chamada de longa distância. Me ligue com a Western Union. Não tenho tempo de... (...) Western... Western Union! [*Espera, aflita.*] Western Union? Sim!... Eu quero... Tome nota desta mensagem: "Em circunstâncias desesperadas, desesperadoras! Preciso ajuda! Presa em armadilha. Presa em..." *Ah!*

[*A porta do banheiro abre-se por completo, e Stanley aparece, vestido com o pijama brilhoso de seda. Sorri para ela enquanto amarra, na altura da cintura, a faixa do pijama, enfeitada de borlas. Ela fica com a respiração entrecortada e sai de perto do telefone. Ele fica olhando fixo para ela por exatos dez segundos. Então um ruído do telefone torna-se audível: são cliques constantes, sons arranhados e intermitentes.*]

STANLEY – Você deixou o fone fora do gancho.

[*Ele vai até o telefone deliberadamente e coloca o fone no gancho. Depois disso, olha fixo para ela uma vez mais, a boca lentamente curvando-se num sorriso, enquanto avança em zigue-zague entre Blanche e a porta da rua.*

[*O "piano de* blues*", pouco audível, agora começa a batucar mais alto. O som do piano transforma-se no ronco da uma locomotiva que vem chegando. Blanche acocora-se, apertando os ouvidos com os punhos até que tenha passado o trem.*]

BLANCHE [*finalmente pondo-se de pé*] – Me deixe... me deixe passar!

STANLEY – Passar por mim? Claro. Vá em frente. [*Ele recua um passo e se posiciona bem na frente da porta da rua.*]

BLANCHE – Você... você vá para lá! [*Ela indica um lugar mais distante.*]

STANLEY [*sorrindo*] – Você tem lugar de sobra para passar por mim agora.

BLANCHE – Não com você aí onde está! Mas eu preciso sair de qualquer maneira.

STANLEY – Você acha que vou interferir e ficar no seu caminho? Ha, ha!

[*O "piano de blues" toca com suavidade. Ela se vira, confusa, e ensaia um gesto débil. Aumenta o volume das vozes desumanas da selva. Ele toma um passo na direção dela, mordendo a língua, que assim fica à vista, entre os lábios.*]

STANLEY [*suavemente*] – Mas, pensando bem... até que pode não ser má ideia... interferir...

[*Blanche recua e, andando de costas, passa pela porta e entra no quarto de dormir.*]

BLANCHE – Para trás! Não tente vir na minha direção nem mais um passo, senão eu vou...

STANLEY – Vai o quê?

BLANCHE – Alguma coisa horrível vai acontecer. Eu sei que vai!

STANLEY – Agora você está representando qual papel?

[*Estão agora os dois dentro do quarto de dormir.*]

BLANCHE – Eu estou avisando, não faça isso! Eu estou em perigo!

[*Ele dá mais um passo. Ela quebra uma garrafa na mesa e o encara, a mão agarrando com força o gargalo quebrado da garrafa.*]

Stanley – Pra que você fez isso?

Blanche – Pra eu poder enfiar e girar o vidro quebrado nessa sua cara!

Stanley – Aposto que você era capaz de fazer isso mesmo!

Blanche – Eu seria capaz, sim. E vou fazer isso, se você...

Stanley – Ah! Mas então o que você quer é sair no tapa! Tudo bem, vamos sair no tapa! [*Ele toma impulso na direção dela, virando a mesa. Ela grita e tenta golpeá-lo com o gargalo quebrado, mas ele segura o pulso dela.*] Tigre... Tigre! Larga esse gargalo! Larga! A gente tinha esse encontro marcado desde o início!

[*Ela geme. O gargalo quebrado cai no chão. Ela cai de joelhos. Ele a pega no colo, uma figura inerte, e a leva para a cama. Ouve-se a todo o volume o trompete, intenso, sensual, apaixonado, e a bateria que tocam no Four Deuces.*]

CENA 11

Algumas semanas mais tarde. Stella está fazendo as malas de Blanche. Ouve-se o barulho de água correndo no banheiro.

Os reposteiros estão parcialmente abertos, e na cozinha estão os jogadores de pôquer: Stanley, Steve, Mitch e Pablo, sentados em volta da mesa. A atmosfera na cozinha agora é a mesma – sinistra e grosseira – daquela noite desastrosa do jogo de pôquer.

O prédio está emoldurado por um céu azul-turquesa. Stella chora sem parar enquanto arranja os vestidos floridos na mala-armário aberta.

Eunice desce a escada, vindo do apartamento de cima, e entra na cozinha. Explodem gritos na mesa de pôquer.

Stanley – Pedi uma carta que era pra fechar uma sequência pelo meio e consegui! Pel'amor de Deus!

Pablo – *Maldita sea tu suerto!*

Stanley – Tá, agora traduz, cucaracho.

Pablo – Tô xingando essa tua sorte desgramada.

Stanley [*prodigiosamente eufórico*] – Vocês querem saber o que é sorte? Sorte é acreditar que você tem sorte. Por exemplo, o que me aconteceu em Salerno. Eu acreditei que estava com sorte. Calculei que quatro de cada cinco não iam se dar bem, não iam sair com vida dali, mas que eu ia... e foi isso mesmo. Tenho isso pra mim como uma regra. Pra tu garantir que vai chegar na frente nessa corrida nojenta de ratos, tu tem que acreditar que vai ter sorte.

Mitch – Você... você... você... aí se gabando... e se gabando... tudo baboseira... baboseira.

[*Stella entra no quarto de dormir e começa a dobrar um vestido.*]

Stanley – Que que tem de errado com ele?

Eunice [*passando pela mesa*] – Eu sempre disse que homem é bicho insensível, que não tem coração, mas isto aqui bate todas. Vocês tão se fazendo de porcos. [*Ela passa pelos reposteiros e entra no quarto de dormir.*]

Stanley – Que que tem de errado com ela?

Stella – E o meu bebê, como é que está?

Eunice – Dormindo feito um anjinho. Eu trouxe umas uvas pra você. [*Coloca as uvas num banquinho e baixa o volume da voz.*] E a Blanche?

Stella – Tomando um banho.

Eunice – Como é que ela tá?

Stella – Não quis comer nada, mas pediu uma bebida.

Eunice – O que você disse a ela?

Stella – Eu... só falei que... nós arranjamos acomodações para ela repousar no interior, no campo. Na cabeça dela, isso agora está misturado com Shep Huntleigh.

[*Blanche abre a porta do banheiro só um pouquinho.*]

Blanche – Stella.

Stella – Sim, Blanche?

Blanche – Se alguém telefonar enquanto estou no banho, anote o número e diga que eu ligo em seguida.

Stella – Está bem.

Blanche – Aquela peça de seda amarela, bem fresquinha... o buclê. Veja para mim se está amassada. Se não estiver muito amassada, eu vou usar essa, e na lapela vou prender aquele broche de prata com turquesa: o cavalo marinho. Você vai ver que eles estão na caixa em forma de coração, onde eu guardo os meus acessórios. E, Stella... tente ver se você consegue localizar para mim um buquezinho de violetas artificiais nessa mesma caixa, também, para eu prender junto com o cavalo marinho na lapela do casaco.

[*Ela fecha a porta. Stella vira-se para Eunice.*]

STELLA – Não sei se eu fiz a coisa certa.

EUNICE – O que mais que você podia fazer?

STELLA – Eu não podia acreditar na história dela e continuar vivendo com o Stanley.

EUNICE – Não acredite nunca nessa história. A vida tem que continuar. Não interessa o que acontece ou deixa de acontecer, a gente tem que tocar a vida.

[*A porta do banheiro abre só um pouquinho.*]

BLANCHE [*espiando para fora*] – Posso sair?

STELLA – Sim, Blanche. [*Dirigindo-se a Eunice:*] Diga a ela como ela está bem.

BLANCHE – Por favor, feche as cortinas antes de eu sair.

STELLA – Elas já estão fechadas.

STANLEY – ...Quantas pra vocês?

PABLO – ...Duas.

STEVE – ...Três.

[*Blanche aparece na luz âmbar da porta. Ela tem um brilho trágico em seu roupão de cetim vermelho, cujo caimento segue as linhas esculturais de seu corpo. A polca varsoviana toca cada vez mais alto, à medida que Blanche vai entrando no quarto.*]

Blanche [*com uma vivacidade levemente histérica*] – Eu recém lavei o cabelo.

Stella – É mesmo?

Blanche – Acho que não consegui tirar todo o xampu.

Eunice – Um cabelo tão lindo!

Blanche [*aceitando o elogio*] – É um problema manter ele assim. Ninguém me ligou?

Stella – Você está esperando o telefonema de quem, Blanche?

Blanche – Shep Huntleigh...

Stella – Não, ele ainda não ligou, querida.

Blanche – Que estranho! Eu...

[*Ao som da voz de Blanche, o braço de Mitch que está segurando as cartas fraqueja, e seu olhar fica vago, fixo em ponto algum do espaço. Stanley dá-lhe um tapa no ombro.*]

Stanley – Ei, Mitch, acorda!

[*O som desta nova voz deixa Blanche chocada. Ela faz um gesto surpreso e, com os lábios, forma o nome dele, numa pergunta muda à irmã. Stella faz que sim com a cabeça e rapidamente desvia o olhar. Blanche fica de pé, parada, imóvel, em total silêncio por alguns momentos. Ela tem o espelho de prata na mão e um olhar carregado com uma perplexidade, como se toda experiência humana se revelasse em sua expressão. Blanche por fim diz alguma coisa, mas com súbita histeria.*]

Blanche – O que está acontecendo aqui?

[*Ela se vira de Stella para Eunice e de novo para Stella. Sua voz, ao crescer em volume, interfere na concentração do jogo de pôquer. Mitch baixa a cabeça ainda*] *mais, e Stanley arrasta a cadeira para trás, como se fosse se levantar. Steve coloca a mão sobre o braço de Stanley, detendo-o.*]

BLANCHE [*continuando*] – O que aconteceu aqui? Eu quero uma explicação: o que aconteceu aqui?

STELLA [*agoniada*] – Shhh. Fale baixo.

EUNICE – Shhh. Fale baixo, querida.

STELLA – Por favor, Blanche.

BLANCHE – Por que estão me olhando assim? Tem alguma coisa de errado comigo?

EUNICE – Você tá linda, Blanche. Ela não tá linda?

STELLA – Claro.

EUNICE – Tô sabendo que você vai viajar.

STELLA – Sim, a Blanche *vai viajar*. Está saindo de férias.

EUNICE – Tô verde de inveja.

BLANCHE – Me ajudem, me ajudem a me vestir!

STELLA [*alcançando-lhe o vestido*] – É este aqui que você...

BLANCHE – Sim, este serve! Estou com pressa para sair daqui... este lugar é uma armadilha!

EUNICE – Que bonito esse casaco azul!

STELLA – É lilás.

BLANCHE – As duas estão erradas. É azul Della Robbia. O mesmo azul do manto das Madonas nas pinturas antigas. Essa uvas estão lavadas?

[*Ela examina com os dedos o cacho de uvas que Eunice trouxe.*]

Eunice – O quê?

Blanche – Lavadas, eu disse. Estão lavadas?

Eunice – São da feira. Do nosso mercado ao ar livre aqui do French Quarter.

Blanche – O que não quer dizer que estejam lavadas. [*Os sinos da catedral tocam.*] Os sinos da catedral... São a única coisa limpa em todo o French Quarter. Bom, agora estou de saída. Estou pronta para ir embora.

Eunice [*num sussurro*] – Ela vai sair antes deles chegar.

Stella – Espere, Blanche.

Blanche – Eu não quero passar na frente daqueles homens.

Eunice – Então é melhor esperar o jogo acabar.

Stella – Sente-se e...

[*Blanche vira-se – débil, vacilante. Deixa que Stella e Eunice a levem até uma cadeira.*]

Blanche – Posso sentir o cheiro do mar. Vou passar o resto dos meus dias na beira do mar. E, quando eu morrer, vou morrer no mar. Sabem do que vou morrer? [*Ela pega uma uva do cacho.*] Vou morrer por ter comido uma uva sem lavar, um dia desses, em alto mar. Vou morrer... de mãos dadas com algum médico bem bonito de um navio, bem novinho ele, com um bigode loiro bem discreto e um relógio vistoso de prata. "Pobre senhora", vão dizer, "o quinino não adiantou. Aquela uva não lavada transportou-lhe a alma para os céus." [*Ouvem-se os sinos da catedral.*] E serei enterrada no mar, costurada num saco branco e limpo e jogada do convés... ao meio-dia... no calor escaldante do verão... e cairei num oceano tão azul [*os sinos tocam mais uma vez*] como os olhos do meu primeiro amor!

[*Um Médico e uma Enfermeira com porte de matrona apareceram dobrando a esquina do prédio e subiram os degraus da calçada para o patamar do apartamento de baixo. A seriedade de suas profissões é exagerada – a aura inconfundível de uma instituição pública com seu distanciamento cínico. O Médico toca a campainha. Os murmúrios da partida de pôquer são interrompidos.*]

EUNICE [*sussurrando para Stella*] – Deve ser eles.

[*Stella pressiona os punhos fechados contra os lábios.*]

BLANCHE [*levantando-se lentamente*] – O que foi isso?

EUNICE [*fica evidente que está fingindo não saber*] – Com licença, vou ver quem está batendo.

STELLA – Certo.

[*Eunice entra na cozinha.*]

BLANCHE [*tensa*] – Será que é para mim?

[*Uma conversa sussurrada ocorre à porta da rua.*]

EUNICE [*voltando, com grande animação*] – Chegou alguém perguntando pela Blanche.

BLANCHE – Então é mesmo para mim! [*Olha amedrontada de uma para outra e então olha para os reposteiros. A varsoviana toca bem baixinho.*] É o cavalheiro que eu estava esperando, de Dallas?

EUNICE – Acho que sim, Blanche.

BLANCHE – Ainda não estou bem pronta.

STELLA – Peça a ele para esperar lá fora.

BLANCHE – Eu...

[*Eunice volta para os reposteiros. A percussão de uma bateria toca suavemente.*]

Stella – Tudo na mala?

Blanche – Meus objetos de toalete, os de prata, ainda estão fora.

Stella – Ah!

Eunice [*voltando*] – Eles tão esperando na rua, na frente da casa.

Blanche – Eles! Quem são "eles"?

Eunice – Tem uma senhora com ele.

Blanche – Não imagino quem poderia ser essa "senhora"! Como é que ela está vestida?

Eunice – Só... só um tipo de... roupa de corte simples.

Blanche – Provavelmente é... [*A voz lhe morre na garganta com um quê de nervosa.*]

Stella – Vamos indo, Blanche?

Blanche – Temos de passar pela cozinha?

Stella – Eu vou com você.

Blanche – Como é que eu estou?

Stella – Adorável.

Eunice [*fazendo eco*] – Adorável!

[*Blanche anda em direção aos reposteiros, amedrontada. Eunice abre os dois lados para ela. Blanche entra na cozinha.*]

Blanche [*dirigindo-se aos homens*] – Por favor, não se levantem. Estou só passando.

[*Atravessa o cômodo rapidamente até a porta da rua. Stella e Eunice acompanham-na. Os jogadores de pôquer põem-se de pé, muito sem jeito, em volta da mesa – todos menos Mitch, que permanece sentado, olhos baixos, fixos na mesa. Blanche sai para o pequeno patamar ao lado da porta. Para de supetão e tenta recuperar o fôlego.]*

MÉDICO – Muito prazer.

BLANCHE – O senhor não é o cavalheiro que eu estava esperando. [*Ela de repente fica sem ar e vira-se e começa a subir os degraus de volta. Para ao lado de Stella, que está à frente da porta, e fala num sussurro apavorado:*] Esse homem não é o Shep Huntleigh.

[*A varsoviana está tocando ao longe.*

[*Stella, com os olhos, responde ao olhar de Blanche. Eunice está de braço dado com Stella. Faz-se um momento de silêncio – nenhum som, a não ser o ruído das cartas sendo embaralhadas, de modo firme e uniforme, por Stanley.*

[*Blanche tenta tomar fôlego de novo e volta para dentro do apartamento. Entra na cozinha com um sorriso estranho, os olhos muito abertos e muito brilhantes. Assim que a irmã passa por ela, Stella fecha os olhos e aperta forte as mãos uma contra a outra. Eunice abraça a amiga num gesto de consolo. Depois, começa a subir a escada para o seu próprio apartamento. Blanche para assim que entra na cozinha, logo depois da porta. Mitch continua de olhos baixos, o olhar agora fixo em suas mãos apoiadas na mesa, mas os outros homens olham para Blanche com curiosidade. Por fim, ela começa a andar ao redor da mesa em direção ao quarto de dormir. Quando ela faz isso, Stanley de repente arrasta a cadeira para trás e levanta-se, como se fosse bloquear o caminho de Blanche. A Enfermeira segue Blanche dentro do apartamento.*]

STANLEY – Esqueceu alguma coisa?

Blanche [*a voz esganiçada*] – Sim! Sim, eu esqueci uma coisa!

[*Ela se apressa em passar por ele e entrar no quarto. Reflexos sinistros aparecem nas paredes em formas estranhas, sinuosas. A varsoviana tem o som distorcido de modo estranho e vem acompanhada pelos gritos e ruídos da selva. Blanche agarra o encosto de uma cadeira como se precisasse se defender.*]

Stanley [*sotto voce*] – Doutor, é melhor o senhor entrar.

Médico [sotto voce, *gesticulando para a Enfermeira*] – Enfermeira, pode trazê-la para fora.

[*A Enfermeira avança por um lado e Stanley pelo outro. Destituída de todos os traços mais suaves de feminilidade, a Enfermeira é uma figura particularmente sinistra em sua indumentária severa. Sua voz é destemida e dissonante como o sino de um carro de bombeiros.*]

Enfermeira – Oi, Blanche.

[*A saudação ecoa e volta a ecoar por outras vozes, misteriosas, que vêm de trás das paredes, como se reverberassem por um cânion de muitos rochedos, muitas escarpas.*]

Stanley – Ela disse que esqueceu uma coisa.

[*O eco soa em sussurros ameaçadores.*]

Enfermeira – Não faz mal.

Stanley – O que foi que você esqueceu, Blanche?

Blanche – Eu... eu...

Enfermeira – Não tem importância. A gente pode vir buscar mais tarde.

Stanley – Claro. Nós podemos mandar junto com a mala.

Blanche [*recuando, em pânico*] – Eu não a conheço... eu não a conheço. Quero que me deixem... em paz... por favor!

Enfermeira – Ora, Blanche!

Ecos [*mais altos e mais baixos em volume*] – Ora, Blanche... ora, Blanche... ora, Blanche!

Stanley – Você não deixou nada aqui, a não ser talco derramado e vidros velhos e vazios de perfume. A menos que é a lanterna de papel que você quer levar. Quer a lanterna?

[*Ele vai até a penteadeira e pega a lanterna de papel, rasgando-a ao tirá-la da lâmpada, e estende o braço na direção de Blanche. Ela dá um grito, como se ela e a lanterna fossem uma só. A Enfermeira dá um passo decidido na direção de Blanche, que então grita e tenta passar pela Enfermeira. Todos os homens põem-se de pé num pulo. Stella corre para fora, para o patamar, com Eunice seguindo-a para consolá-la, simultaneamente com as vozes confusas dos homens na cozinha. Stella corre para o abraço de Eunice no patamar.*]

Stella – Ah, meu Deus, Eunice, me ajude! Não deixe que façam isso com ela, não deixe que a machuquem! Ah, Deus, ah, por favor, Deus, não a machuque! O que estão fazendo com ela? O que estão fazendo? [*Tenta soltar-se do abraço de Eunice.*]

Eunice – Não, querida, não, não, querida. Fique aqui. Não volte lá pra dentro. Fique comigo e não olhe.

Stella – O que foi que eu fiz com a minha irmã? Ah, Deus, o que foi que eu fiz com a minha irmã?

Eunice – Fez a coisa certa, a única coisa que podia fazer. Ela não podia ficar aqui. E não tinha outro lugar pra onde ela ir.

[*Enquanto Stella e Eunice estão conversando no patamar, as vozes dos homens na cozinha se sobrepõem às vozes delas. Mitch levanta-se e vai em direção ao quarto. Stanley atravessa-se na frente dele para bloquear-lhe o caminho. Stanley empurra Mitch para o lado. Mitch avança sobre Stanley e acerta-lhe um soco. Stanley empurra Mitch para trás. Mitch cai por cima da mesa, derrotado, chorando aos soluços.*]

[*Durante as cenas anteriores, a Enfermeira está segurando com firmeza o braço de Blanche, impedindo-a de fugir. Blanche vira-se, enfurecida, e com as unhas arranha a Enfermeira. A mulher, forte e pesada, prende os braços de Blanche, que então grita e grita, a voz agora rouca, e cai de joelhos.*]

ENFERMEIRA – Vamos ter de cortar essas unhas. [*O Médico entra no quarto, e ela olha para ele:*] Camisa, Doutor?

MÉDICO – Só se houver necessidade.

[*Ele tira o chapéu e agora vira gente. O traço desumano desaparece. Sua voz é gentil e reconfortante quando ele se aproxima de Blanche e agacha-se na frente dela. Quando pronuncia o nome dela, o terror de Blanche diminui um pouco. Os reflexos sinistros desaparecem das paredes, os gritos e ruídos desumanos vão sumindo, e os gritos roucos da própria Blanche vão se acalmando.*]

MÉDICO – Srta. DuBois. [*Ela vira o rosto para ele e olha fixo no olho dele com um pedido desesperado. Ele sorri, e então fala para a Enfermeira:*] Não vai ser preciso.

BLANCHE [*abatida*] – Peça a ela para me soltar.

MÉDICO [*dirigindo-se à Enfermeira*] – Pode soltar.

[*A Enfermeira solta Blanche, que então estende as mãos para o Médico. Ele a puxa para si com delicadeza e oferece-lhe o braço, onde ela se apoia, e a conduz para fora do quarto, passando pelos reposteiros.*]

BLANCHE [*agarrando-se com força no braço do Médico*] – Seja você quem for... eu sempre dependi da bondade de estranhos.

[*Os jogadores de pôquer abrem caminho à medida que Blanche e o Médico atravessam a cozinha até a porta da rua. Ela se deixa levar por ele, como se fosse cega. Quando saem para o patamar, Stella grita o nome da irmã de onde está agachada, uns poucos degraus acima na escada que leva para o apartamento de Eunice.*]

STELLA – Blanche! Blanche, Blanche!

[*Blanche continua andando, sem se virar, acompanhada do Médico e da Enfermeira. Eles dobram a esquina do prédio.*

[*Eunice desce até onde está Stella e põe o bebê nos braços da mãe. Ele está enrolado numa mantinha azul-clara. Soluçando, Stella aceita o filho no colo. Eunice continua descendo a escada e entra na cozinha, onde os homens, exceto Stanley, estão voltando em silêncio para seus lugares em volta da mesa. Stanley saiu para o patamar que desce para a calçada e está parado, de pé, ao pé da escada, olhando para Stella.*

STANLEY [*um tanto quanto hesitante*] – Stella?

[*Ela soluça, num abandono desumano ao choro. Há algo de lascivo em sua total entrega ao choro, agora que a irmã se foi.*]

STANLEY [*voluptuoso, apaziguador*] – Vamos, vamos, querida. Vamos, amor. Ora, ora, vamos, meu bem. [*Ele se ajoelha ao lado dela, e seus dedos encontram a abertura de sua blusa.*] Vamos, vamos, amor. Ora, ora...

[*O choro lascivo, soluçante, o murmúrio sensual vão sumindo à medida que cresce a música do "piano de* blues*" e do trompete de som abafado por uma surdina.*]

STEVE – O jogo é *stud* de sete cartas.

CORTINA

SOBRE A TRADUTORA

BEATRIZ VIÉGAS-FARIA é tradutora formada pela Universidade Federal do Rio Grande do Sul (1986), com especialização em lingüística aplicada ao ensino do inglês (UFRGS, 1991). Em 1999, concluiu mestrado na Pontifícia Universidade Católica do Rio Grande do Sul em lingüística aplicada, com dissertação sobre tradução de implícitos em *Romeu e Julieta*, e, em 2004, doutorado com tese sobre tradução de implícitos em *Sonho de uma noite de verão*, na mesma instituição. Em 2003, realizou pesquisa em estudos da tradução e tradução teatral na University of Warwick, Inglaterra. É organizadora e professora da Oficina de Tradução Literária, curso de extensão da PUCRS. Começou a trabalhar com traduções de obras literárias em 1993, e desde 1997 dedica-se também a traduzir as peças de William Shakespeare. Em 2000, recebeu o Prêmio Açorianos de Literatura pela tradução de *Otelo*, e, em 2001, o Prêmio Açorianos de Literatura com a obra *Pampa pernambucano (poesia, imagens, e-mails)*.

Coleção **L&PM** POCKET
ÚLTIMOS LANÇAMENTOS

1. **Sobre a genealogia da moral: um escrito polêmico** – Nietzsche
2. **A consciência de Zeno** – Italo Svevo
3. **Células-tronco** – Jonathan Slack
4. **O fim do ciúme e outros contos** – Proust
5. **A jangada** – Júlio Verne
6. **A ilha do dr. Moreau** – H.G. Wells
7. **Ninho de fidalgos** – Ivan Turguêniev
8. **Jane Eyre** – Charlotte Brontë
9. **Sobre gatos** – Bukowski
10. **Sobre o amor** – Bukowski
11. **Escrever para não enlouquecer** – Bukowski
12. **222 receitas** – J. A. Pinheiro Machado
13. **Reinações de Narizinho** – Monteiro Lobato
14. **O Saci** – Monteiro Lobato
15. **Memórias da Emília** – Monteiro Lobato
16. **O Picapau Amarelo** – Monteiro Lobato
17. **A reforma da Natureza** – Monteiro Lobato
18. **Fábulas** *seguido de* **Histórias diversas** – Monteiro Lobato
19. **Aventuras de Hans Staden** – Monteiro Lobato
20. **Peter Pan** – Monteiro Lobato
21. **Dom Quixote das crianças** – Monteiro Lobato
22. **O Minotauro** – Monteiro Lobato
23. **Um quarto só seu** – Virginia Woolf
24. **Sonetos** – Shakespeare
25. (35). **Thoreau** – Marie Berthoumieu e Laura El Makki
26. **Teoria da arte** – Cynthia Freeland
27. **A arte da prudência** – Baltasar Gracián
28. **O louco** *seguido de* **Areia e espuma** – Khalil Gibran
29. **O profeta** *seguido de* **O jardim do profeta** – Khalil Gibran
30. **Jesus, o Filho do Homem** – Khalil Gibran
31. **A luta** – Norman Mailer
32. **Sobre o sofrimento do mundo e outros ensaios** – Schopenhauer
33. **Epidemiologia** – Rodolfo Sacacci
34. **Japão moderno** – Christopher Goto-Jones
35. **A arte da meditação** – Matthieu Ricard
36. **O adversário secreto** – Agatha Christie
37. **Pollyanna** – Eleanor H. Porter
38. **Espelhos** – Eduardo Galeano
39. **A Vênus das peles** – Sacher-Masoch
40. **O 18 de brumário de Luís Bonaparte** – Karl Marx
41. **Um jogo para os vivos** – Patricia Highsmith
42. **A tristeza pode esperar** – J.J. Camargo
43. **Vinte poemas de amor e uma canção desesperada** – Pablo Neruda
44. **Judaísmo** – Norman Solomon
45. **Esquizofrenia** – Christopher Frith & Eve Johnstone
46. **Seis personagens em busca de um autor** – Luigi Pirandello
47. **A Fazenda dos Animais** – George Orwell

1338. **1984** – George Orwell
1339. **Ubu Rei** – Alfred Jarry
1340. **Sobre bêbados e bebidas** – Bukowski
1341. **Tempestade para os vivos e para os mortos** – Bukowski
1342. **Complicado** – Natsume Ono
1343. **Sobre o livre-arbítrio** – Schopenhauer
1344. **Uma breve história da literatura** – John Sutherland
1345. **Você fica tão sozinho às vezes que até faz sentido** – Bukowski
1346. **Um apartamento em Paris** – Guillaume Musso
1347. **Receitas fáceis e saborosas** – José Antonio Pinheiro Machado
1348. **Por que engordamos** – Gary Taubes
1349. **A fabulosa história do hospital** – Jean-Noël Fabiani
1350. **Voo noturno** *seguido de* **Terra dos homens** – Antoine de Saint-Exupéry
1351. **Doutor Sax** – Jack Kerouac
1352. **O livro do Tao e da virtude** – Lao-Tsé
1353. **Pista negra** – Antonio Manzini
1354. **A chave de vidro** – Dashiell Hammett
1355. **Martin Eden** – Jack London
1356. **Já te disse adeus, e agora, como te esqueço?** – Walter Riso
1357. **A viagem do descobrimento** – Eduardo Bueno
1358. **Náufragos, traficantes e degredados** – Eduardo Bueno
1359. **Retrato do Brasil** – Paulo Prado
1360. **Maravilhosamente imperfeito, escandalosamente feliz** – Walter Riso
1361. **É...** – Millôr Fernandes
1362. **Duas tábuas e uma paixão** – Millôr Fernandes
1363. **Selma e Sinatra** – Martha Medeiros
1364. **Tudo que eu queria te dizer** – Martha Medeiros
1365. **Várias histórias** – Machado de Assis
1366. **A sabedoria do Padre Brown** – G. K. Chesterton
1367. **Capitães do Brasil** – Eduardo Bueno
1368. **O falcão maltês** – Dashiell Hammett
1369. **A arte de estar com a razão** – Arthur Schopenhauer
1370. **A visão dos vencidos** – Miguel León-Portilla
1371. **A coroa, a cruz e a espada** – Eduardo Bueno
1372. **Poética** – Aristóteles
1373. **O reprimido** – Agatha Christie
1374. **O espelho do homem morto** – Agatha Christie
1375. **Cartas sobre a felicidade e outros textos** – Epicuro
1376. **A corista e outras histórias** – Anton Tchékhov
1377. **Na estrada da beatitude** – Eduardo Bueno

lepmeditores
www.lpm.com.br
o site que conta tudo

IMPRESSÃO:

PALLOTTI
GRÁFICA

Santa Maria - RS | Fone: (55) 3220.4500
www.graficapallotti.com.br